12/22
$2 —

L'INNOCENT

DU MÊME AUTEUR

PETIT JOSEPH (Fayard).

M'EN FOUS LA MORT (Mazarine).

GITON (Le Seuil).

LES SENTIMENTS (Le Seuil).

L'EUROPE MORDUE PAR UN CHIEN (Points-Seuil).

L'ESPRIT DE VENGEANCE (Grasset).

LES MAISONS (Grasset).

MON ONCLE (Grasset).

L'ÉDIFICE DE LA RUPTURE (Actes Sud).

FORME D'AMOUR N° 3 OU 4 (Grasset).

RETOUR À EDEN (Grasset).

QUAND JE SUIS DEVENU FOU (Fayard).

LE VOILE, LE VISAGE, L'ÂME (Fayard).

CONTRE L'IMAGINATION (Fayard).

MA VIE TROPICALE (Grasset).

L'EMPIRE DE LA MORALE (Prix de Flore 2001 – Grasset).

AINSI VA LE JEUNE LOUP AU SANG (Prix Jean-Freustié 2004 – Grasset).

L'INFLUENCE DE L'ARGENT SUR LES HISTOIRES D'AMOUR (Grasset).

BANG ! BANG ! (Grasset).

UN ROI SANS LENDEMAIN (Grasset).

20 000 EUROS SUR SÉGO ! (Grasset).

VIVRE ENCORE UN PEU (Grasset).

À QUOI JOUENT LES HOMMES (Grasset).

READY CASH (Actes Sud).

QUICONQUE EXERCE CE MÉTIER STUPIDE MÉRITE TOUT CE QUI LUI ARRIVE (Grasset).

(Suite en fin de volume)

CHRISTOPHE DONNER

L'INNOCENT

roman

BERNARD GRASSET
PARIS

Photo bande : © BQHL

ISBN : 978-2-246-86106-5

1965. Au musée du Louvre, une mère et son fils visitent le département des Antiquités. Elle est jeune, très belle, son fils a neuf ans.

La galerie est à peu près déserte, le garçon tient la main de sa mère, par moments s'en détache avant de revenir près d'elle, ils se promènent ainsi librement, tendrement, entre les statues de marbre blanc, éphèbes et nymphes, nus ou drapés, un vieil empereur, un jeune athlète, elle donne à son fils des explications, lui apprend la signification des cartels, il l'écoute, sérieux, fier de la compagnie exclusive de sa mère.

Au bout de la galerie, sous un puits de lumière, est exposée une sculpture en pierre, le garçon l'observe, dubitatif, cette pièce étrusque, dressée sur une colonne carrée, mesure trente centimètres, mais dans le

7

souvenir qu'il en gardera toute sa vie, elle était beaucoup plus grande.

Le garçon tourne autour du monolithe, essayant de comprendre. La mère observe son fils, avec un sourire embarrassé. Elle attend la question de son fils, et celle-ci finit par arriver : il lui demande ce que c'est.

Christophe a beau tourner autour de l'objet, il ne comprend pas, ou il ne veut pas, ou il n'ose pas. Et il comprend encore moins après avoir lu le cartel.

Ma mère avait pris l'habitude de ne pas répondre tout de suite à mes questions, afin de me laisser le temps d'y répondre moi-même ; la méthode fonctionnait bien, tant il est vrai qu'on connaît la réponse à la plupart des questions qu'on pose. Comme je trouvais la réponse, elle n'avait plus alors qu'à confirmer, préciser, éventuellement donner l'orthographe du mot, ou raconter l'histoire de la chose, pour récompenser ma perspicacité, et l'encourager. Le peu de temps qu'elle passait avec moi, depuis le divorce, Julia, c'est le prénom de ma mère, s'efforçait de le consacrer à l'acculturation de son fils, Christophe, c'est le nom qu'elle m'avait donné, en l'honneur de son père qui avait pris ce nom, Christophe, dans la Résistance, avant d'être déporté, de ne pas en revenir, il faut toujours rappeler ça, même si c'est un peu lassant, à force, la petite fille orpheline de guerre à six ans, le père héros, martyr, il faut le dire sinon on ne comprend rien.

Elle m'emmenait au musée parce qu'elle savait que je n'irais pas là avec mon père qui ne savait parler que de politique et n'allait en Grèce que pour faire de la route.

Dans le film des aventures que j'ai entrepris de dérouler ici, certains dialogues ressortent de phrases gravées dans ma mémoire ; d'autres sont restées confuses, se modifiant avec le temps, sous l'effet de la pudeur, de la honte ou d'une volonté de démontrer quelque chose.

Comment ma mère m'a expliqué ce qu'était un phallus, je ne saurais le dire avec précision, mais je ressens encore le trouble de cet instant dans lequel se mêlaient la fierté de savoir, le dépit de ne l'avoir pas compris avant, le regret d'avoir mis peu ou prou ma mère dans l'embarras, mais surtout l'impatience de grandir, et de posséder un « phallus » digne de cette représentation hyperbolique.

1966. Christophe passe le week-end avec ses copains, Raphael et Paul, deux frères. Raphael a l'âge de Christophe. Paul un an de moins.

Nous voulions être comme des frères. Nos parents s'étaient connus à la cité universitaire d'Antony, où ils militaient au même parti. Le parti communiste. Ils nous avaient eus très jeunes, à seize, dix-sept ans, cela arrivait souvent à l'époque, à cause de la pilule qui n'existait pas. Et quelques années plus tard, les parents de Raphael et Paul avaient divorcé à peu près en même temps que les miens. Ce qui fait que nous étions vraiment du même bois, du même bord, du même drame. J'étais heureux de les retrouver, même si Raphael était plus fort que moi aux billes et dans presque tous les domaines.

Je dormais avec Raphael dans le lit du haut, Paul dans le lit d'en dessous. Ce soir-là, Paul nous a entendus jouer sous le drap.

Je me demande en quoi consistaient précisément ce jeu, quel genre de caresses, jusqu'où ça allait, et si j'en aurais gardé le souvenir sans l'intervention furibarde de Paul :

— Arrêtez de faire des saloperies !

Est-ce que la jalousie de Paul nous a fait pitié ? Avons-nous eu soudain conscience du péché que nous étions en train de commettre ? Je ne sais même pas si, ce soir-là, nous avons cessé nos saloperies.

Août 1967, sur la mer Noire. Le ferry a quitté le port d'Hopa au petit matin, il fait déjà chaud, c'est le plein été. Une dizaine de voitures sont à bord, et plusieurs centaines de passagers, pour la plupart des Turcs, des Arméniens, paysans, commerçants, leur apparence tranche avec celle des quelques touristes, routards, plus ou moins hippies qui se sont regroupés sur le pont, et parmi lesquels se trouvent Christophe, son père Jean-Claude, Francesca sa compagne, et un jeune Anglais qu'ils ont pris en auto-stop du côté de Tabriz et qui ne les a plus quittés depuis. Pour se protéger du soleil, ils ont tendu des bâches de fortune entre les barres du bastingage. L'ambiance est festive, on joue de la guitare, on chante, on fume, on lit des gros livres de poche pour passer le temps que va durer cette traversée qui les conduira à Istanbul.

Pour tuer son ennui, Christophe quitte le pont et va se promener sur le ferry. Il a maintenant des cheveux longs, et un air décidé, presque arrogant qui lui permet de passer un peu partout, d'un pont du bateau à l'autre, d'une classe de passagers à l'autre. Il traverse le couloir des cabines, croise des hommes d'affaires, des militaires, et des femmes aux robes longues et aux airs farouches, cernées d'enfants. Il sympathise avec les marins, se retrouve bientôt au poste de commandement, avant que de nouveau l'ennui le gagne. Il descend alors dans la salle des machines, remonte par les cuisines. L'odeur est infecte, un mélange de graillon et de gasoil, de poisson séché et de ferraille rouillée.

Le cuisinier l'attrape par le bras. Il veut lui faire goûter un gâteau. Christophe accepte mais ne trouve pas ça très bon. Il veut partir, maintenant, ça sent trop mauvais, il étouffe, il fait chaud, le type est sale, gros, entreprenant, il veut lui faire boire de l'alcool. Il lui parle en turc, puis dans un anglais primitif que Christophe a du mal à comprendre.

De plus en plus mal à l'aise, Christophe cherche à s'en aller, mais l'autre le retient, le serre contre lui, lui caresse les cheveux en lui chuchotant des mots doux que Christophe ne comprend pas mais qui l'épouvantent. Le cuisinier essaie de l'embrasser, Christophe se débat et crie :

— Je ne suis pas une fille ! Je ne suis pas une fille ! *I am not a girl !*

Christophe parvient à se libérer. Il court dans les couloirs et les escaliers du ferry, regagne le pont où son père chante une chanson à la gloire du prolétariat international.

Je savais que mes cheveux longs, blonds et bouclés me faisaient ressembler à une fille, et je détestais qu'on me prenne pour une fille. Pour autant, il n'était pas question de les couper. Les gens dans la rue pouvaient continuer à m'appeler mademoiselle, pour m'humilier, moi je chantais : « Antoine, fais-toi couper les cheveux, je lui ai dit : "ma mère, dans vingt ans si tu veux !" »

Juin 1969. Christophe attend en bas de chez lui, un petit sac de voyage à la main. Julia passe le prendre à bord de sa vieille Jaguar. Elisa, la petite sœur de Christophe, âgée de trois ans, saute au cou de son grand frère.

Je passais un week-end sur deux chez ma mère, dans son petit appartement de la rue Monge, avec ma petite sœur.

Dans une chambre d'enfants, deux lits « gigognes ». Sur l'un d'eux, Christophe, treize ans, est allongé, nu, immobile, le sexe dressé.

Elisa entre dans la chambre. Découvrant l'état de son frère, elle s'enfuit :

— Maman !... Christophe a un gros machin sur le ventre.

Julia dépose Christophe devant chez lui, à Bagneux. Elisa est vautrée sur la banquette arrière de la Jaguar et refuse d'embrasser son grand frère parce qu'elle ne veut pas qu'il s'en aille.

Au bord du trottoir, avec son petit sac, Christophe regarde s'éloigner la voiture de sa mère.

J'ai enfin trouvé ce que je pouvais faire de ce « gros machin » que j'avais sur le ventre.

Christophe est assis au bord du lit. Il vient de jouir, il en a le souffle court. Emerveillé, il regarde son sexe.

J'étais tellement heureux, et tellement surpris, et tellement fier que j'ai pensé me lever et aller montrer à ma mère ce que j'avais dans la main, cette matière liquide dont je ne savais pas le nom. Mais je suis resté là, et je m'en suis toujours félicité, même si je regrette un peu de ne pas savoir ce qui se serait passé si j'étais sorti de la chambre, la main pleine, en criant : « Maman ! Regarde ! » Ou plutôt : « Julia ! Regarde ! » Parce que, à l'époque, j'appelais encore mes parents par leur prénom, une idée de mon père, qui pensait lutter ainsi efficacement contre cette institution bourgeoise qu'est la famille, en la détruisant par la racine.

Le liquide a refroidi dans sa main de Christophe, il l'approche de son visage pour le voir de plus près, le sentir, il plisse les yeux, surpris, se risque prudemment à goûter. Ça le fait tousser, il n'insiste pas, et cherche autour de lui un moyen, un endroit pour s'essuyer. Il prend le coin du drap.

Il se couche et lâche un profond soupir.

Ce soir, Christophe et Elisa vont passer la soirée rue Gracieuse, chez Elodie, la copine de classe d'Elisa.

Elodie a une grande sœur, Juliette. Christophe s'entend bien avec Juliette, ils ont le même âge.

Après avoir dîné, les quatre enfants vont jouer dans la chambre. Ils sont très agités, très bruyants. La mère des deux sœurs entre et annonce qu'il est l'heure de dormir. Elisa couchera avec sa copine Elodie, Christophe avec Juliette.

La mère éteint la lumière. On chuchote dans l'obscurité. Elisa et Elodie finissent par s'endormir.

Nous, on a continué de jouer, au docteur ou quelque chose comme ça, mais sans faire de bruit. Je ne sais pas comment notre jeu a changé de nature, mais à un moment je me suis retrouvé sur elle en train de l'embrasser, c'était devenu sérieux, on ne parlait plus, on ne riait plus, je la serrais de plus en plus fort, mon sexe contre ses jambes. Elle ne disait plus rien, ne bougeait plus, se laissait faire. Au bout d'un moment, son immobilité et sa raideur étaient telles que je me suis arrêté. En me redressant, j'ai découvert que Juliette était en larmes, défigurée par la terreur. Je me suis allongé à côté d'elle, et je suis resté comme ça, les yeux ouverts dans le noir, avec cette énigme qui n'a jamais trouvé de réponse.

Juillet 1969. A l'angle de la rue Saint-Jacques et de la rue des Fossés, un cabaret : Au Port du Salut. Christophe se faufile parmi le public. Il est connu du personnel, on le laisse passer.

Georges, le célèbre chanteur, interprète son tube devant les tables. Christophe, debout contre le mur, tenant son sac de voyage entre les pieds, fredonne la chanson qu'il connaît par cœur.

Georges vient de repérer Christophe dans la salle et lui fait un clin d'œil.

L'assistance reprend le refrain en chœur.

La voix de Christophe est plus perçante que les autres.

A la fin du spectacle, devant le cabaret qui ferme ses portes, Georges ouvre le coffre de sa R16 garée le long du trottoir. Il place le sac de Christophe dans le coffre. Christophe

monte à l'arrière de la voiture. Sylvia, la maîtresse de Georges, s'installe devant. Elle dit
à Christophe :

— Tu as une couverture et un oreiller si
tu veux dormir.

Christophe remercie, mais pour l'instant,
il est trop excité pour dormir, trop heureux.

Georges conduit vite.

Ils roulent sur l'autoroute du Soleil, pratiquement vide.

Christophe est endormi sur la banquette.
Sylvia lui remonte la couverture.

La R16 s'arrête sur une aire d'autoroute.
Christophe se réveille. Il sort et s'éloigne pour
aller pisser derrière un arbre.

Sylvia et Georges l'attendent dans la voiture. Ils ont dans leur champ de vision l'arbre
derrière lequel Christophe est censé pisser, ils
trouvent que ça prend beaucoup de temps.

J'avais le besoin de le faire partout, je mar-
quais mon territoire, lâchant ma semence aux
quatre coins de la terre. La découverte de
nouveaux lieux conférait à l'acte un carac-
tère expérimental, je réalisais ces expériences
dans des positions variées, à toute heure
du jour et de la nuit, j'en faisais le compte

quotidien, hebdomadaire, calculant ce que ça pouvait donner sur l'année. Mais je ne courais pas après les records, ce que j'ambitionnais, c'était de rester un jour accroché à ce moment sensationnel de la jouissance, et que ça dure, que ça dure éternellement. Ne plus jamais en revenir.

Christophe sort enfin de derrière son arbre et retourne à la voiture, entrant dans le faisceau des phares de la R16. Georges et Sylvia sourient, attendris :

— Ça va, Christophe ?

— Oui.

La R16 avance doucement dans les rues étroites de Saint-Tropez, s'arrête à l'angle de la rue Saint-Pierre, devant une maison en aplomb du vieux port. Georges sort les valises du coffre, et ils entrent dans la maison.

Myriam, la propriétaire, accueille les nouveaux arrivants. Christophe retrouve Jean-Claude, son père, tandis que Georges retrouve sa fille, Lilas. Christophe s'intéresse tout de suite à elle.

Je la regardais aller et venir dans la cuisine, faire du café, parler aux uns et autres, rire, rejeter ses longs cheveux en arrière, et manger des olives, du fromage de chèvre frais, des tomates, de la confiture de figues... Et moi aussi j'en mangeais, mais avec prudence, comme si je découvrais cette nourriture, cette chaleur, cette ambiance, avec ces femmes qui portaient toutes des tenues légères, des cheveux longs, défaits, et marchaient pieds nus sur les tomettes.

Myriam m'a surpris en train de bâiller.

— Il a sommeil, le garçon.

— Non, ça va.

— Il n'a pas dormi, a dit Georges. Il a surveillé notre moyenne...

— Résultat ?

Mon père ne ratait pas une occasion de me faire faire des maths.

J'ai suivi Lilas dans l'escalier. On est entrés dans une petite chambre, coquette, celle qu'elle occupait, visiblement. Elle a arrangé le lit pendant que je prenais la mesure de l'endroit.

C'était d'abord une odeur. Ça sera toujours comme ça : d'abord une odeur. Lilas occupait la chambre d'amis, elle l'occupait au sens olfactif du terme. Je ne m'y connaissais pas en parfums, je n'aurais pas su dire si c'était du benjoin, du patchouli, ou de l'iris, de la vanille, peut-être un peu de tout à la fois, ou simplement du lilas, c'était épais, hippie, lointain comme les Beatles de retour des Indes, soyeux, pas luxueux, bronzé, pas friqué et sexuel au sens de révolution sexuelle. Mon cœur battait comme sur une barricade.

— Tu veux que je tire les rideaux ?

— C'est ton lit ?

— Oui. Tu as un pyjama ?

— Non.

La pièce s'est retrouvée dans la pénombre avec un rai de lumière entre les rideaux. J'ai défait mes chaussures. Mais je n'osais pas aller plus loin.

— Tu connaissais Saint-Tropez ?

— Non.

— Tu sais nager ?

— Ben oui.

— On ira se baigner, si tu veux.

— D'accord.

— Vers cinq heures, quand il fera moins chaud.

— J'ai un maillot.

— Alors on ira.

— Si tu veux.

— Je te réveille à quatre heures si tu dors encore.

— Oui oui.

Elle est venue s'asseoir à côté de moi sur le lit. Je respirais son odeur. Elle m'a embrassé sur la joue, en me caressant les cheveux. On ne m'avait jamais regardé de cette façon, avec ce genre de sourire, c'était la première fois.

J'étais tellement saisi que je n'ai pas pensé lui rendre son baiser. Je l'ai regardée sortir, incrédule.

Allongé sur le lit, je suis resté un moment à jouer avec mon hallucination : la faire venir au bout de mes doigts, la faire disparaître, et revenir, l'hallucination de mon enfance que je parvenais à maîtriser, depuis quelque temps.

Lilas avait vingt ans, j'en avais treize, mais je ne crois pas avoir fait le compte des années qui nous séparaient. Je ne pense pas avoir analysé la situation de ce point de vue. J'étais envoûté par son parfum que je confondais avec sa gentillesse, personne n'avait jamais senti aussi bon.

Lilas entre dans la chambre où Christophe dort. Elle le regarde et entreprend de le déshabiller, très doucement pour ne pas le réveiller. Elle s'arrête, doutant du sommeil du garçon. Puis reprend. Jusqu'à le dévêtir entièrement.

Diane, la sœur de ma belle-mère, qui avait été aussi la maîtresse de mon père, je crois, ou aurait voulu l'être, peu importe, elle m'aimait beaucoup. Et moi aussi, je l'aimais beaucoup, elle était photographe, je lui avais demandé de me photographier pendant mon sommeil, ce qu'elle avait fait obligeamment. J'avais été déçu du résultat. Le mystère de mes rêves n'était pas sur les photographies de mon visage qui, les yeux fermés, la bouche molle, ne laissait rien paraître. En fait, ce que j'aurais voulu, c'est qu'elle me photographie nu, mais je n'avais pas osé le lui demander. Et là, je sentais que Lilas était en train de faire ça : elle me photographiait, nu. Si j'avais ouvert les yeux, mes larmes auraient coulé. Car c'est ainsi que j'identifiais la nature de cet amour, pas malheureux, pas fou, pas même impossible, mais plein de larmes.

Lilas couvre Christophe d'un de ses tissus indiens très colorés. Elle ramasse son pantalon, sa chemise, les plie soigneusement, avant de sortir.

Sur la digue de la plage de la Ponche, à l'abri de l'agitation du vieux port, vers six heures du soir, Christophe fait des démonstrations de plongeon devant Lilas. Ça l'amuse de regarder l'adolescent se démener pour elle, mais au bout d'un temps, ça l'ennuie, il le remarque, il lui fait signe de venir le rejoindre dans l'eau, et elle finit par accepter.

Ils font la course dans l'eau, d'une bouée à l'autre. Il gagne. Elle lui envoie une gerbe d'eau, il réplique, ils se bagarrent en riant. Reprennent leur souffle au bord du quai.

Ils sortent de l'eau. Ils s'allongent sur les serviettes posées sur le ciment du quai.

Le soleil se couche.

Ils regardent ça.

Elle sort de son sac une cigarette, lui en offre une, qu'il prend. Ils fument tous les deux en se regardant.

La nuit tombe, la plage de galets se vide.

Je n'avais pas eu une enfance heureuse. Ce qui me déterminait sans doute à en sortir le plus vite possible. Et voilà. Je sortais de l'enfance, indéniablement. J'en sortais tiré par les bras de cette fille qui faisait quoi dans la vie, je n'en savais rien. Des bijoux, des voyages, des lectures, des séjours à Saint-Tropez, des drames avec son père célèbre que j'admirais tant ? Que pouvait-on reprocher à Georges ? Je connaissais toutes ses chansons par cœur.

La lune se reflète sur l'eau calme. La plage est vide, des chats passent, croisant de rares promeneurs. Lilas et Christophe sont allongés sur la banquette de ciment de la petite maison, insolite au milieu de la plage de la Ponche.

Ils s'enlacent, ils se serrent. Christophe approche ses lèvres de la bouche de Lilas, il l'effleure, hésite, reprend son souffle, il pose ses lèvres sur celles de Lilas, elle entrouvre ses lèvres, et c'est parti, ils s'embrassent à pleine bouche. Lui fébrile. Elle rassurante, maternelle. Ils restent là toute la nuit, les cheveux emmêlés.

De quoi avons-nous pu parler, elle et moi ? Des chansons de son père ? Certainement pas. Alors quoi ? Des Beatles, qu'on aimait beaucoup ou de Boris Vian, pourquoi pas de Jean-Paul Sartre après tout, il n'est pas impossible que nous ayons eu de la conversation. Elle avait été en Inde et moi j'avais vécu au Mozambique, j'avais vu l'apartheid, on a dû parler de ça au cours de cette nuit passée dehors, et après, l'histoire de nos parents divorcés : bonne occasion de se serrer l'un contre l'autre.

— Elle fait quoi, ta mère ?

— Psychanalyste. Et la tienne ?

— Elle vendait des vêtements pour bébé, mais c'est fini.

— A cause de Mai 68 ?

— Aussi.

A l'époque, il n'était pas possible d'ouvrir la bouche sans parler de Mai 68. Alors je parlais de Mai 68. Où était-elle, le jour des barricades ? Moi, j'y étais. Est-ce qu'elle était pour Krivine ou pour Rocard ? J'ai débité toutes les conneries politiques entendues chez mon père, ou chez ma mère, manière d'implorer son admiration, au moins son étonnement.

Au petit matin, ils marchent tous les deux dans les ruelles encore désertes de Saint-Tropez. Les commerçants ouvrent leurs boutiques, et regardent passer les deux amoureux frigorifiés qui se tiennent par la main.

Je crois me souvenir qu'ils nous lançaient des vannes, avec leur accent méridional. Ou alors se contentaient de sourire, de nous faire des clins d'œil.

Lilas et Christophe entrent dans une boulangerie. Il fait chaud, ça sent bon. Ils achètent des croissants pour toute la maisonnée.

Quand je me suis retrouvé seul dans la chambre de Lilas, j'ai commencé à pleurer. Il me semblait que c'était ce que j'avais de mieux à faire. De plus juste et de plus spectaculaire. De plus parlant, aussi.

Elle est revenue dans la chambre, elle m'a trouvé comme ça, c'était parfait.

— Qu'est-ce qui se passe ?

J'en ai profité pour me réfugier dans ses bras, une fois de plus, son odeur, le tissu de ses vêtements, et le vibrato de sa voix le long de son cou, et de nouveau ses lèvres, c'était le but de l'opération.

— Parle-moi, Christophe. Qu'est-ce qui t'arrive ?

— Je ne sais pas.

— C'est à cause de moi ?

Elle a léché les larmes qui glissaient sur mes joues.

— Tu as des larmes délicieuses.

On est restés un moment sur ce lit étroit, moi blotti contre elle ; elle qui regardait le plafond.

— C'est la première fois que tu es amoureux ?

— Non. Mais là, c'est pas pareil.

— Pourquoi ?

— J'avais neuf ans. C'était en classe de neige.

— Elle était belle ?

— Oui. Mais c'est pas pareil.

— Tu étais très amoureux ?

— On ne s'est jamais revus.

— Pourquoi ?

— Je ne sais pas.

Et c'est une question que je continue de me poser : pourquoi je ne suis pas retourné voir Sylvie Verdier ? En tout cas, je ne voulais pas que cela se reproduise, cette timidité.

— Tu t'en vas à quelle heure, ce soir ?

— On a encore un peu de temps.

Elle est partie, mais je suis resté dans cette chambre avec ses affaires, son odeur, et son numéro de téléphone écrit sur un bout de papier.

Sur la terrasse de la maison de Saint-Tropez, sous le soleil accablant de l'après-midi, chacun digère le repas, affalé, qui sur un transat, qui dans un hamac, ou un fauteuil d'osier. On bronze en somnolant, on fume des Gitanes, des Rothmans ou des joints, on boit de la limonade, du pastis, du café glacé.

On lit *Papillon* d'Henri Charrière, David Goodis dans la Série noire...

Jean-Claude, un crayon dans la bouche, s'échine sur *Lire Le Capital* de Louis Althusser.

Francesca lit *Hara-Kiri hebdo* qui publie en couverture un dessin de Reiser représentant une usine, et en légende : « Dans 30 jours, au boulot ! »

Christophe remue les glaçons de son coca en tournant les pages de *Paris Match* consacré cette semaine aux « Conquérants de la Lune ».

Sur le disque qui continue de tourner, le saphir a atteint la fin du sillon et va et vient, produisant un grésillement ponctué par le retour du bras, ce battement régulier, entêtant, conférant à l'ambiance quelque chose d'angoissant que personne ne semble décidé à faire cesser.

Jusqu'à ce que Jean-Claude, excédé, interpelle son fils :

— Christophe !

— Pourquoi moi ?

Mais il se lève, retire le bras du pick-up, et retourne s'asseoir avec *Paris Match*.

— Et arrête de lire ces conneries !

Myriam intervient :

— Tu ne peux pas le lâcher un peu, non ?

Christophe repose *Paris Match*, se lève et s'en va. Son père l'arrête :

— Où tu vas ?

— Téléphoner.

— Demande à Myriam !

— Ça va, Jean-Claude, proteste Myriam.

J'ai sorti de ma poche le petit bout de papier sur lequel Lilas m'avait inscrit son numéro de téléphone.

J'ai attendu que ça sonne, que ça réponde. Quelqu'un a décroché, mais ce n'était pas elle.

— Est-ce que je pourrais parler à Lilas ?... De la part de Christophe...

Je n'avais pas eu une enfance heureuse, et j'avais l'impression que la suite ne le serait pas non plus. A moins qu'elle réponde. Qu'elle me parle. En attendant, j'ai admiré la façon dont elle faisait les chiffres. J'étais amoureux de son écriture. C'était la seule chose que je possédais d'elle, ce bout de papier. La femme qui m'a répondu paraissait âgée, sa grand-mère, peut-être... Elle a appelé Lilas, criant son nom de telle sorte que je pouvais déjà me faire une idée des

volumes immenses de cette maison... Lilas
ne répondait pas. La dame m'a demandé
si je voulais laisser un message. Oui, mais
lequel ? Je ne savais pas. Non. Pas de
message.

— Je rappellerai. Merci, madame...

J'avais encore envie de pleurer. Ou vomir.
Ou mourir. Ou alors appeler ma mère. C'est
ce que j'ai fait.

— Salut, c'est moi... Oui, vachement
bien... C'est génial... Je me suis baigné
dans le vieux port... On peut faire des plon-
geons, elle est chaude, c'est génial... On
mange vachement bien. De la ratatouille et
du fromage de chèvre avec des herbes... Et
alors, tu as vu *Apollo* ?... Ben non, parce
qu'on n'a pas la télé, c'est le truc chiant...
Et y a pas de piano... il y a une terrasse
qui donne sur la mer... c'est vachement
beau...

De rien. Ne jamais parler de rien. Ni
de mes hallucinations, ni de mon sperme,
ni de Lilas. Tout garder pour moi. De
peur de décevoir, de peur d'être jugé, ou
pire : interprété. L'angoisse que je ressen-
tais devant les pratiques psychanalytiques
de ma mère, c'est qu'elle découvre mon

angoisse. Car ce mal intime que je ne voulais pas avouer, c'était aussi ce que j'avais
de plus glorieux, que je ne voulais pas
perdre.

Cinq heures de l'après-midi, Aix-en-Provence. Sous une chaleur accablante, la 2CV de Jean-Claude s'arrête, devant le grand portail de la maison de Georges.

Mon père était décidément en pleine ascension sociale. On allait de fameuses villégiatures en célébrités du show-biz. Je ne sais pas à quoi il devait ça, mais il bichait de passer ses vacances dans la maison de famille de Georges, et moi aussi.

Le chanteur nous a accueillis en short, comme Picasso à la Californie, et il nous a fait découvrir cette vaste demeure du XVIe siècle, moyenâgeuse, fraîche, bâtie sur les anciens remparts de la ville. C'était merveilleux, on aurait dit le refuge des Mousquetaires, j'avais envie de sortir mon épée en agitant mon chapeau à plume.

On a monté les marches de l'escalier en pierre. On s'est arrêtés devant une double porte. Mon Dieu qu'elle était haute. Georges a soulevé la lourde clenche de la serrure, le claquement a résonné dans toute la maison. Il a poussé la porte qui s'est mise à grincer prodigieusement sur ses gonds. On est entrés dans une chambre, elle était haute, elle aussi. Tout était haut et grand : l'armoire, le miroir, la cheminée, le lit haut perché, les fenêtres étaient munis de volets intérieurs. Je n'avais jamais vu ça. Georges a dit à Jean-Claude que c'était leur chambre et il m'a conduit à la mienne, bien plus modeste, ce qui me convenait tout à fait.

Christophe pose son sac sur le lit et sort, monte un autre étage, repère une porte sur laquelle est collé un poster psychédélique. Il y a de la musique de l'autre côté de la porte, c'est la chanson de Maurice Fanon : « Si je porte à mon cou, en souvenir de toi, ce souvenir de soie, qui se souvient de nous, ce n'est pas qu'il fasse froid, le fond de l'air est doux, c'est qu'encore une fois... »

Christophe frappe à la porte. La voix de Lilas l'invite à entrer.

Même bruit de serrure, mêmes grincements de porte. Lilas est assise sur un matelas posé à même le sol. Le disque de Maurice Fanon tourne sur le pick-up : « ... j'ai voulu comme un fou, me souvenir de toi, de tes doigts sur mon cou, me souvenir de nous, quand on se disait vous. »

La fumée du bâton d'encens et des cigarettes

nimbe le décor de cette chambre où tout n'est que tentures indiennes, coussins, temple hindou, disques de Ravi Shankar, de Paco Ibañez, livres de Hermann Hesse...

C'était sa chambre, là où elle vivait, où elle avait grandi, un antre chargé de tout ce qu'elle avait été, enfant, et qu'elle continuait d'être, mais d'être quoi ? Du lilas.

En refermant la porte derrière moi, j'ai senti quelque chose m'envelopper.

Je me suis avancé, le souffle court. Lilas souriait, m'invitant à venir la rejoindre sur le lit.

Je retrouvais l'odeur de la chambre de Saint-Tropez, mais c'était le lieu d'origine, là où elle était née, où s'étaient distillés ses charmes, ses envoûtements, potion de mes désirs, poison de ma faiblesse, et tant mieux, car j'avais bien l'intention de m'enivrer, me noyer, j'étais déjà complètement ramolli.

Je me suis approché d'elle et j'ai attendu, agenouillé, à quelques centimètres de son visage. Elle a posé un baiser sur mes lèvres. J'ai répondu par un soupire. Avant de fermer les yeux et baiser ses lèvres à mon tour. On s'est embrassés tout doucement. Elle s'est levée pour arrêter le disque.

— Viens. Déshabille-toi.

J'ai obéi, essayant de cacher mon corps, ma nudité, mon érection.

La taille de son lit me filait le vertige. Nous avions passé une première nuit à la belle étoile, sur la banquette de ciment du vieux port, l'inconfort servant de prétexte à mes maladresses, et d'alibi à mes inhibitions. Nous avions ensuite eu cet autre moment dans la chambre, mes larmes retardant encore le moment qui se présentait là, dans ce lit spacieux et plein d'inconnues.

Je me suis glissé sous le drap.

C'était la chance de ma vie et je n'arrivais pas à la saisir. J'attendais d'être guidé, instruit, et quand elle me guidait, tentait de m'instruire, je ne suivais pas, je refusais de comprendre. C'était trop beau, trop rapide, trop facile, bref, au-dessus de mes forces. Viens, disait-elle, viens. Elle aurait dû me forcer, me violer, je l'attendais en toute confiance, et restais là, paralysé, ignorant les usages, le jeu des préliminaires, n'arrivant pas à me prendre pour quelqu'un d'autre qu'un enfant.

L'innocence est un édifice qui s'écroule peu à peu, de bacchanales en orgies solitaires, impossible de dire quand elle s'arrête.

En bas, dans la cour, ils avaient ouvert les cubis de vin rouge, allumé un « barbe-cul », fait griller des côtelettes et mis des pommes de terre sous la braise. C'était tous les soirs la fête autour de Georges. Des chants, des rires, des chamailleries. Tony, le fils de Georges, apprenait à cracher du feu avec son copain Etienne. Les éclats de voix se mêlaient aux gerbes d'essence enflammée, on les percevait depuis notre lit, à travers les volets clos de la chambre.

Mon père m'avait appris des chants révolutionnaires, ça oui, couper la tête des bourgeois, des aristos, j'aurais su comment m'y prendre, et construire des barricades, et lancer des cocktails Molotov sur les flics, j'étais prêt, mais savoir comment glisser mon sexe à l'intérieur de celle qui ne demandait que ça, ils n'avaient même pas pensé que ça pouvait m'être plus utile que la manif du 1er mai. Ils m'avaient préparé à la lutte des classes, mais livré au démon de l'ignorance des femmes.

Je suis sorti de la maison au petit matin, j'ai marché à grands pas sous les platanes du cours Mirabeau, sans pouvoir m'empêcher de sourire.

Une chose m'apparaissait sûre et certaine : je n'étais plus le même. Je venais de passer la nuit dans le lit d'une femme, à l'embrasser, la serrer, la baiser, car si cette nuit n'avait pas été celle de l'accomplissement de l'acte sexuel, elle n'en avait pas moins été une nuit d'amour, entière, complète, jusqu'à ce petit matin frisquet, le reste n'était qu'une question de vocabulaire : est-ce que nous avions fait l'amour ? C'est ce qu'il me semblait puisque j'étais amoureux.

La R16 de Georges fonce sur la sinueuse départementale qui mène à l'étang de Berre. Sylvia est à l'avant, Christophe à l'arrière. Ils chantent une chanson que Georges vient de composer.

Georges décide de dépasser la voiture de devant, mais en plein virage. La R16 se retrouve alors nez à nez avec un véhicule arrivant en sens opposé. L'accident semble inévitable. Sylvia crie. Georges donne un coup de volant sur la gauche. La R16 monte sur le talus, évitant de justesse la collision avec l'autre voiture qui s'éloigne dans un hurlement de klaxon furibard.

Ils mettent un petit moment à retrouver leurs esprits. La R16 a calé. Georges la fait repartir. Sylvia tremble encore, elle est furieuse. Georges, apparemment soûl, se marre et reprend la route en chantant.

Mon père nous a accueillis sur la plage avec un grand sourire, venait d'avoir une idée qui le rendait vraiment jouasse : nous entraîner de l'autre côté des dunes, chez les nudistes. On y est allés. Je n'ai pas aimé ça à cause de mon érection que je ne savais pas comment dissimuler.

C'est le regard noir de mon père qui m'a calmé.

Je suis resté là, recroquevillé sur ma serviette, n'osant regarder personne, car tout m'excitait.

Le soir, ils sont tous rentrés à Aix. Moi, je suis repassé du côté des habillés pour attendre Lilas : une fête était prévue avec un bain de minuit. C'était peut-être le 14 juillet.

Toute la bande est là, sur la plage : Lilas, son frère Tony, les amis de Tony, tous jeunes mais beaucoup plus âgés que Christophe qui a du mal à se mêler à leurs conversations, à leurs jeux. Il reste près du grand feu.

Lilas est avec Etienne, le cracheur de feu, Christophe les voit s'embrasser.

Est-ce qu'elle faisait semblant de ne pas me voir ? Est-ce qu'elle faisait exprès de me rendre malheureux ? Et pourquoi ? Je ne comprenais pas.

Je me suis alors demandé si Lilas n'avait pas agi, depuis le début, en service commandé ? Commandé par mon père.

Le doute s'est précisé récemment, quelques jours après la mort de mon père : Elisa m'a raconté comment il s'était félicité de voir son fils, son fils précoce, sa mâle progéniture, dépucelé. Sans idée précise de la signification du mot dépucelé, Elisa avait deviné que cela était lié au machin qu'elle avait aperçu sur mon ventre quelques semaines plus tôt.

Instigateur ou pas, mon père était fier que je sois dépucelé par la fille du chanteur célèbre, et si précocement, cela faisait de lui, d'une certaine façon, un membre éminent de la grande famille du show-biz. Ça ne serait pas la dernière fois qu'il se servirait de moi pour satisfaire sa vanité.

Christophe s'empare d'une des guitares abandonnées sur le sable : il gratte les trois accords qu'il connaît et chantonne.

Lilas arrive, l'embrasse sur le front. Elle le pousse à chanter moins timidement. Le guitariste reprend son instrument, et accompagne Christophe qui chante « Love me, please love me ! Je suis fou de vous ! Vraiment, prenez-vous tant de plaisir à me voir souffrir ? »

On rit de la naïveté et de l'efficacité des paroles, on danse le slow, et bientôt Lilas et Etienne s'enfoncent dans l'obscurité et disparaissent.

Le guitariste apprend à Christophe de nouveaux accords.

Retour de la nuit blanche. Etienne conduit sa 4L, Lilas est assise à l'avant, Christophe est à l'arrière, le menton posé sur le dossier du siège de Lilas qui confectionne un joint sur ses genoux.

— On te dépose à la maison, Christophe, annonce Etienne.

— Je préfère rester avec vous.

— On te ramène, confirme Lilas, c'est mieux.

Les deux amants se regardent en souriant. Christophe s'effondre au fond de sa banquette. Il rumine sa jalousie en regardant défiler les platanes.

Lilas allume son joint, tire une première bouffée. Elle offre le joint à Christophe qui le refuse.

— Tu boudes ?

Elle enlace Etienne, lui fait tirer une taffe.

Elle reste ainsi, la tête penchée sur l'épaule d'Etienne, de telle sorte que ses cheveux longs tombent de l'autre côté de la banquette, et Christophe peut ainsi les caresser.

Etienne gare la voiture devant la maison de Georges.

— Allez, salut.

Christophe ne bouge pas.

— Tu peux dormir dans ma chambre, lui dit Lilas, je ne rentre que lundi.

Christophe ne bouge toujours pas. Etienne s'énerve :

— Fais pas chier, mec... Tu veux que je te sorte ?

Christophe reste immobile, Etienne descend alors de la voiture ; étant suffisamment fort pour ne pas avoir à user de violence, il sort Christophe de la 4L.

Christophe, assis sur le trottoir, regarde la 4L repartir.

Christophe erre dans la maison de Georges. On a allumé un « barbe-cul » dans la cour, et posé les cubis de vin rouge sur la margelle du puits. L'ambiance est chaude, on parle politique.

Christophe entre dans la chambre de Lilas, s'allonge sur le lit.

En écoutant la rumeur qui montait de la cour, je pouvais reconnaître la voix de mon père qui s'engueulait avec Daniel, le chef des trotskistes locaux.

Christophe ouvre la fenêtre et commence à fredonner une chanson de Boby Lapointe à travers les volets : « T'es plus jolie que jamais, sauf le cœur. Ton cœur n'a plus la chaleur, que j'aimais. »

Maintenant il chante, et de plus en plus

fort : « Il bat au rythme du fric, il vit à l'ombre des flics, il ne dit plus aux copains : Ça va ça vient... »

Tous les fêtards se sont tus. La chanson a créé un malaise. Christophe se rend compte que tout le monde l'écoute, alors il chante à tue-tête : « La nuit que je t'ai connue, t'étais nue. Tu jouais les affranchies, sans chichi. T'es plus jolie que jamais, sauf le cœur... » Il s'arrête, la voix brisée. On l'applaudit. Son père lui demande de descendre.

Je suis descendu dans la cour pour rejoindre la « fête ». Après m'avoir complimenté, ils ne se sont plus du tout intéressés à moi. Et moi, je ne me suis intéressé qu'au grand portail d'où j'attendais que Lilas apparaisse.

J'avais chaud, je me suis mis à boire de la sangria. A un moment, j'ai vu mon père se lever, il s'est emparé de Sylvia, tel un centaure, il l'a emportée à l'intérieur de la maison, sous les rires, les sifflets et les applaudissements de l'assistance réjouie. Francesca essayait de sourire, mais ça lui faisait mal.

Le lendemain de « l'enlèvement de Sylvia », Christophe entre en douce dans la chambre qu'occupe son père. Le lit est défait, les fenêtres ouvertes, les volets à moitié clos. Il observe le lit, s'approche, s'allonge sur le lit pour sentir les draps.

Je ne sais pas ce que je cherchais dans ces draps, quels indices, qui auraient prouvé quoi.

Christophe entend la voix de Georges dans l'escalier de la maison. Il se lève, s'apprête à sortir de la chambre, mais se ravise, en comprenant que Georges sermonne son fils Tony :
— Vous êtes en train de faire une sacrée connerie, tous les deux…

J'ai su plus tard que Tony était amoureux de sa prof de français, plus âgée. Je ne voyais pas en quoi consistait la connerie qui avait tant fâché Georges. J'étais surtout surpris du ton soudain autoritaire et menaçant de mon chanteur préféré, que j'imaginais le plus libéral des pères. J'ai eu peur qu'il soit au courant pour Lilas et moi. Aurait-il considéré ça aussi comme « une sacrée connerie » ?

La vieille Jaguar vient se garer devant la maison de Georges. Julia et Elisa en descendent. Le troc d'enfants a lieu : Christophe embrasse sa mère et monte à l'avant de la voiture tandis qu'Elisa saute dans les bras de son père et disparaît à l'intérieur de la maison de Georges.

Les deux parents échangent quelques propos juridiques sur un ton agressif.

C'était la règle, leur façon de se partager démocratiquement leurs enfants.

La Jaguar quitte le cours Mirabeau. Christophe ouvre et referme la boîte à gants en acajou. Il interroge sa mère :

— Elle monte à combien, sur l'autoroute ?

— Je ne sais pas.

— Tu vas la garder longtemps ?

— Ça dépend. Pour l'instant, je la garde. Comment étaient tes vacances avec ton père ?

— Bien.

— Et Francesca ?

— Elle est partie en Corse.

— Ils se sont séparés ?

— Je sais pas. Oui. On dirait. Est-ce qu'on passe par Saint-Tropez ?

— Non, pourquoi ?

— Je voudrais bien.

— Tu voudrais ?

— Oui...

— Ben d'accord...

— Je te montrerai un endroit.

— C'est quoi ?

— Tu verras... C'est qui, les gens chez qui on va, à Nice ?

— Jérôme et Claudine. Tu ne te souviens certainement pas d'eux, mais eux ils se souviennent de toi. Ils étaient avec nous à Antony.

— Et on va faire quoi ?

— Tu verras.

— Mais y a quoi ?

— Y a quoi... Y a quoi... Il y a un clavecin. Jérôme joue du clavecin... Tu pourras en jouer.

— Je crois que je préfère la guitare, maintenant.

— Ah bon.

— Oui.

— Et puis, on ira au musée.

— Ils ont des enfants ?

— Non.

— Je vais faire quoi ?

— Tu as peur de t'ennuyer avec moi ?

— Je sais pas.

— Et avec ton père, tu fais quoi ?

— Plein de trucs.

La Jaguar traverse les beaux paysages du Midi, elle longe la côte, il fait beau, la mer est bleue, Christophe compte les bornes au bord de la route. Des auto-stoppeurs leur font signe. Christophe devine le désir de sa mère de s'arrêter pour les prendre. Mais elle ne s'arrête pas. Elle fume, elle écoute la radio qui est posée entre eux deux. Par moments, ils chantent.

Ils arrivent à Saint-Tropez. Ils marchent sur la petite plage de la Ponche. Christophe a un regard attendri en direction de la banquette de ciment où il a passé la nuit avec Lilas.

Toujours cette envie de lui raconter, de lui parler, mais ça ne venait pas.

Ils mangent une glace sur la jetée, devant le coucher du soleil. Il se déshabille et plonge depuis la digue. Elle le regarde. Il sort de l'eau et se sèche en courant autour d'elle. Il se rhabille. Ils repartent.

La vieille Jaguar monte l'avenue de Cimiez, passe devant le parc du château de Valrose, s'arrête devant la villa de Jérôme et Claudine qui les accueillent, pieds nus. C'est une villa moderne, luxueuse, avec terrasse, vue sur la baie, une piscine, et au milieu du salon : un clavecin et un piano.

Tous ces amis riches qui nous invitaient chez eux, c'était mieux que d'aller au camping avec mes grands-parents, mais ça finissait toujours par créer un malaise.

Claudine les conduit à leur chambre.
Julia occupera le grand lit, tandis que Christophe occupera le lit de camp qu'on a sorti du garage spécialement pour lui.

Je n'ai pas souvenir d'avoir jamais dormi dans la même chambre que ma mère.

Julia et Christophe se déshabillent, se couchent. Ils se disent bonsoir. Ils sont censés s'endormir, bercés par le chant des grillons. Mais Christophe ne dort pas. Il attend.

Je n'avais pas perdu mes habitudes. J'en parle au pluriel tant j'avais le souci de varier les procédures, par le lieu, par la position, par le temps que je leur consacrais. Au bout d'un mois, je n'avais renoncé qu'à une chose : les compter.

Le drap de Christophe remue, furieusement, de plus en plus, mais soudain :
— Je sais ce que tu fais, Christophe.
Il s'immobilise. Il entend alors sa mère qui bouge, soupire, gémit. Il reste là, pétrifié, sans plus respirer, tandis qu'elle atteint la jouissance.

Christophe joue du clavecin, mais trop mal pour que Jérôme lui demande de se contenter de jouer du piano.

Je crois me souvenir que ce Jérôme claveciniste était mathématicien, mais grand professeur ; la musique n'était pour lui qu'un hobby. Il devait réaccorder son clavecin après chaque sonate. Il ne jouait pas si bien que ça, d'ailleurs, et de toute façon, je préférais Ray Charles.

Sur le piano, Christophe joue « What I'd say », avec entrain. Il a emprunté les lunettes de soleil de sa mère et chante en imitant le balancement du chanteur aveugle : « Hey Mama, don't you treat me wrong... »
Jérôme est outré qu'on puisse maltraiter ainsi son piano, mais Julia et Claudine

frappent dans leurs mains, entraînées par le rythme, elles s'amusent, et Christophe prolonge son riff à l'envi, mettant Jérôme en fuite.

Je me demandais ce qu'ils deviendraient, nos amis riches, le jour de la révolution. Quel sort faudrait-il leur réserver ? Avaient-ils conscience d'être menacés ?

J'étais pressé de rentrer à Paris, car je devais repartir aussitôt pour rejoindre Raphael et Paul en Tunisie où ils vivaient désormais avec Lucienne, leur mère, et son nouveau jules, Lou, un jeune médecin qui s'était engagé comme coopérant pour deux ans. Raphael et Paul m'avaient raconté leur vie nouvelle : une grande maison, pas loin de la mer, ils se baignaient presque toute l'année, la belle vie quoi. Raphael et moi avions expliqué à nos parents respectifs que nous ne devions plus rester séparés, parce qu'on était comme des frères, mieux que des frères. A notre grande surprise, à notre grande joie, nos parents avaient accepté.

Ma mère n'était pas enchantée.

— On ne va pas se voir pendant toute l'année, alors ?

— On s'écrira. Ou tu viendras nous voir en Tunisie.

La Jaguar s'est mise à vibrer. Le compteur affichait à peine 100 km/heure.

— Je ne sais pas ce qu'elle a, dit ma mère. J'espère que ça n'est pas un joint de culasse.

Elisa voulait savoir ce que c'était, un joint de culasse.

— Un truc dégueulasse, j'ai dit, tu comprendras quand tu seras grande.

Ma mère a trouvé que j'avais de l'humour. Je lui ai dit d'accélérer, toutes les voitures nous dépassaient, même les 2CV. Elle a appuyé sur l'accélérateur, le compteur affichait 110, 120… à 130 km/heure, la Jaguar a cessé de vibrer. Comme si elle avait retrouvé sa vraie nature de bolide.

En arrivant à Paris, j'ai découvert le nouvel appartement qu'avait acheté mon père, près de la République.

Il avait maintenant un bon boulot dans un journal communiste, qui faisait de lui un homme riche, ou presque. Fini le HLM de Bagneux. Il avait fait faire des travaux considérables, la moquette avait cinq centimètres d'épaisseur.

Au bout d'un long couloir, les anciens communs avaient été aménagés en chambre double, joliment mansardée.

— Voilà ton studio ! C'est isolé du reste de l'appartement. Tu as accès même à l'escalier de service, ce qui fait que tu es complètement indépendant. Tu peux te faire la cuisine, si tu veux.

Je ne sais pas combien de fois il m'a répété que j'étais indépendant, avant de m'annoncer que je n'irais pas en Tunisie rejoindre Raphael et Paul. Il avait changé d'avis, il pensait que c'était mieux pour moi de rester là, continuer mes études dans un bon lycée parisien, et voir ma mère, un week-end sur deux.

— Ou plus si tu veux. Tu es indépendant. Et ça, c'est du fric pour que tu t'achètes des livres. Tu pourrais acheter le livre de John Reed, je te le conseille : *Dix jours qui ébranlèrent le monde.* Ça raconte la révolution d'Octobre.

A la librairie Maspero, j'ai pris le livre de John Reed, et tous ceux de Boris Vian. Ma mère en a payé quelques-uns parce que les cinquante francs de mon père ne suffisaient pas.

— Ton père toujours aussi radin.

Elle était contente, finalement, que je ne parte pas vivre en Tunisie. J'ai compris qu'elle n'était pas pour rien dans le revirement de mon père. Elle ne faisait pas entièrement confiance à Lucienne, encore moins à Lou. Elle se méfiait des toubibs.

Comme tous les dimanches soir, elle m'a déposé rue de Lancry, en bas de mon immeuble. Je ne sais pas pourquoi je ne suis pas passé par mon escalier de service. Je voulais montrer à mon père les livres que j'avais achetés.

En entrant dans l'appartement, je suis

tombé sur Francesca, Michèle, Gérard, tous les quatre avec mon père en train de baiser.

Je ne sais pas s'ils m'ont vu, ou s'ils ont fait semblant de ne pas me voir. J'ai pris discrètement le couloir pour gagner ma chambre, mon indépendance, avec mon sac de livres de poche.

J'ai commencé par Boris Vian, *Je voudrais pas crever*. Ça tombait bien, en ce début d'année, le professeur de français nous avait demandé d'apprendre un poème de notre choix. J'étais déterminé à faire d'emblée sensation.

— « Je voudrais pas crever avant d'avoir connu les chiens noirs du Mexique qui dorment sans rêver, les singes à cul nu dévoreurs de tropiques, les araignées d'argent au nid truffé de bulles… »

Le matin, Christophe retrouve sa nouvelle famille, recomposée, au petit déjeuner : son père, Michèle, sa nouvelle femme, et Justin, le fils de Michèle, âgé de six ans, qui refuse de manger ses corn-flakes.

Jean-Claude essaie de le forcer. L'enfant éclate en sanglots.

Michèle proteste contre la brutalité de Jean-Claude, conjurant son enfant de manger. Jean-Claude tire l'enfant par le bras pour l'éjecter de la table.

Christophe se tourne vers Michèle, attendant d'elle une réaction plus ferme qui ne vient pas. Michèle lui sourit tristement :

— Il est difficile.

Dans la salle de cours, une trentaine d'élèves attendent que le professeur les interroge.

Christophe se lève à l'appel de son nom.

— On vous écoute.

— « Je voudrais pas crever sans avoir essayé de porter une robe sur les grands boulevards, sans avoir regardé dans un regard d'égout, sans avoir mis mon zobe dans des coinstots bizarres... »

Dans la classe en émoi, certains n'arrivent pas à se retenir de rire, mais Christophe va jusqu'au bout :

— « Je voudrais pas crever, non monsieur non madame, avant d'avoir tâté le goût qui me tourmente, le goût qu'est le plus fort, je voudrais pas crever avant d'avoir goûté la saveur de la mort. »

— Merci. On peut savoir pourquoi vous avez choisi ce poème ?

— Vous avez dit : « récitation libre », alors...

— Je sais ce que j'ai dit. Et je vous demande pourquoi vous avez choisi ce poème.

— Ben... je sais pas... Je ne voulais pas crever sans l'avoir récité en classe.

— Très bien. Je vois à qui nous avons affaire. Asseyez-vous.

J'avais compris que je n'arriverais pas à devenir musicien, même pas chanteur. Mais acteur, l'idée faisait son chemin.

Christophe sort du lycée Turgot en fin d'après-midi, il monte les marches du passage du Pont-aux-Biches, il croise des cambrioleurs qui viennent de piller la bijouterie du faubourg Saint-Martin et s'enfuient par le passage ; des complices les attendent dans une voiture, en bas des marches. Le bijoutier et sa femme sont en larmes sur le pas de leur boutique.

Acteur, ou alors devenir voyou.

Christophe retourne chez lui, il grimpe les cinq étages, entre dans sa chambre, pose ses affaires, appuie sur le bouton Play de son lecteur de cassette, il monte le son à fond : le *Lac des cygnes* de Tchaïkovski. Il s'allonge sur son lit marin et commence à se caresser.

Peut-être à cause des tutus, peut-être à cause de la mort du cygne. Sinon, j'ouvrais le dictionnaire pour relire les définitions des mots sensationnels : masturbation, orgasme, sperme, qui n'étaient que des prétextes, des artifices inutiles, parce qu'en réalité je n'avais besoin de rien. J'étais simplement excité, du matin au soir, du soir au matin. Et il fallait que je me calme, trois, parfois quatre ou cinq fois par jour.

La masturbation de Christophe est brutalement interrompue par l'entrée de son père dans la chambre.

Je n'avais pas entendu qu'il avait frappé à la porte. Ou alors il n'avait pas frappé.

Christophe a réagi trop tard pour se cacher, mais il se cache tout de même. Son père s'excuse et sort en refermant la porte.

Il voulait me demander de baisser la musique, j'imagine.

Christophe abandonne la procédure, furieux, honteux. Il éteint la musique et s'endort.

En cours de natation, le prof de gym donne du sifflet. Christophe dispute l'épreuve de crawl.

Les élèves sont sous la douche, ils plaisantent, se bagarrent, comparent leur sexe, se masturbent ou font semblant. Le prof de gym circule dans les douches avec son sifflet, essuie les sarcasmes des élèves.

A la sortie du lycée, les militants trotskistes distribuent des tracts et vendent leur journal : *Rouge*. Christophe l'achète et se met à discuter avec eux.

Acteur, voyou, ou chef de la révolution.

Christophe et ses deux camarades de classe, Malek et Philippe, écrivent à la bombe, sur un mur du lycée : « A mort l'école ».

Philippe redoublait sa quatrième, il avait donc un an de plus que Malek et moi, un vrai cancre. On l'admirait parce qu'il avait déjà couché avec des filles. Enfin, c'est ce qu'il disait. Il nous avait assuré qu'après avoir baisé, la première fois, le frein, ce petit bout de peau tendu entre le prépuce et le gland, se déchirait et qu'il y avait du sang, comme chez les filles, voilà en quoi consistait le dépucelage des garçons.

Les trois copains organisent le chahut dans le cours d'histoire. Le prof est débordé : une dizaine d'élèves se sont rassemblés devant son bureau pour suivre son cours tandis que le reste de la classe participe à une furieuse et joyeuse bataille de craies et de gommes lancées depuis les barricades de pupitres et de chaises. Le prof doit crier pour donner son cours sur la Révolution française.

Christophe se retrouve dans le bureau du censeur, n'écoutant rien du sermon qui lui est infligé.

Je croyais en la révolution comme d'autres croient au Ciel, c'est-à-dire en sachant qu'on n'y arrivera jamais. Vive Lénine ! Vive le Che ! Et ce n'était pas ce petit fonctionnaire de l'Education nationale qui allait me faire peur avec ses blâmes, ses menaces d'exclusion.

C'est au tour du père de Christophe d'être convoqué par le censeur du lycée.

— Votre fils fait régner la terreur dans sa classe.

— La terreur ! Allons donc...

— Un des élèves de sa classe a tenté de se suicider, et il a accusé votre fils et ses deux acolytes d'être responsables de son désespoir.

— Christophe a des acolytes ?

Mon père aurait voulu que je sois à la fois premier de la classe comme ma mère, et stalinien comme lui. J'étais devenu un cancre trotskiste.

22 décembre 1969. Dans l'avion qui sur-
vole la Méditerranée, l'hôtesse d'Air France
pose le plateau-repas devant Christophe.

S'il y a une chose que j'aimais dans la vie,
c'était prendre l'avion.
En cadeau de Noël, et pour se faire par-
donner d'être revenu sur sa parole, mon père
m'avait offert des vacances en Tunisie. Ça
lui revenait certainement moins cher que des
vacances à la neige. Ça devait aussi l'arranger
de se débarrasser de moi quelques jours pour
régler ses combinaisons conjugales.

— Désirez-vous boire quelque chose ? pro-
pose l'hôtesse.
— Du vin blanc, c'est possible ?
— Bien sûr.
Elle lui sert une petite bouteille de blanc.

Acteur, voyou, chef de la révolution, et faire le tour du monde en avion en buvant du vin blanc.

Christophe se lève pour aller aux toilettes. Il se déshabille, se regarde, nu, dans le miroir, et se masturbe.

Les yeux dans le vague, emporté par la jouissance, il s'assied sur le trône pour souffler.

Ce qui m'intéressait désormais, ce n'était plus de les compter comme dans les premières semaines, c'était de faire ça dans chaque lieu nouveau, appartement, toilettes d'aéroport, cinéma, café, aire d'autoroute, ce projet m'ouvrait une perspective infinie.

Lucienne est venue chercher Christophe à l'aéroport de Tunis. Sur le pare-brise avant de la 4L, Lou avait collé son caducée, je m'amusais à observer le paysage entre les courbes du serpent : les palmiers, les maisons, les mosquées, le lac, les flamants roses, le fort de Chikly...

Lucienne se considérait comme ma seconde mère, ou alors c'était moi qui la considérais comme ma seconde mère, en tout cas, je l'aimais, elle et ses deux fils.

La 4L s'arrête devant une maison coloniale, murs blancs, volets bleus. Les trois copains s'embrassent, heureux de se retrouver.

Raphael et Paul font visiter la maison à Christophe : la multitude des pièces, l'escalier, la chambre où Christophe dépose son sac, Raphael lui montre comment il escalade la terrasse pour entrer par la fenêtre de la cuisine. Il y a aussi un poulailler, avec une demi-douzaine de poules et un coq.

— Le matin, il les saute toutes, les unes après les autres, c'est super marrant à voir.

— Et le soir on ramasse les œufs et on les bouffe.

Ils m'ont emmené dans le jardin où j'ai cueilli des oranges pour la première fois de ma vie.

De mon côté, j'avais plein de trucs à leur raconter, Saint-Tropez, Aix, Lilas, et comment j'avais foutu la révolution dans mon bahut.

On allait dormir tous les trois dans la même chambre, les matelas avaient été posés à même le sol.

J'étais pressé de savoir où Raphael en était : est-ce qu'il se branlait ? Comment ? Et combien de fois par jour ? J'avais projeté de le faire avec lui, un genre de concours. Il m'a tout de suite opposé un refus. Je me suis demandé si c'était de la timidité, de la prudence, de la honte ou une connerie comme ça. Je trouvais ça navrant de la part d'un révolutionnaire, parce que nous étions tous les trois des révolutionnaires, on avait suivi toutes les manifs, on était même sortis au milieu de la nuit pour peindre « Paix au Wietnam » sur le mur de leur école.

Raphael était asthmatique, et quand ce n'étaient pas des crises d'asthme, c'était l'eczéma qui ravageait sa peau, le torturait toute la nuit, d'horribles démangeaisons.

Lou s'occupait beaucoup de lui, en tant que médecin. Paul et moi en éprouvions une certaine jalousie ; on imitait méchamment ses crises d'asthme, il nous arrivait même de lui piquer sa Ventoline et d'en aspirer une dose, pour voir. Tout ça n'arrangeait pas mes affaires ; Raphael ne voulait rien entendre et j'ai dû me rabattre sur Paul, qui était plus curieux, et prêt à coopérer, à jouer au grand qu'il n'était pas encore, malheureusement.

Raphael et Paul entraînent Christophe à la plage. Malgré le temps plutôt froid, ils se baignent. Florian vient les rejoindre, c'est un copain de Raphael, fils de coopérants, lui aussi.

Ils jouent au foot sur le sable, puis Florian invite les trois garçons chez lui. Il habite une villa au bord de la mer.

Ils boivent un chocolat chaud que leur confectionne Odile, la mère de Florian, jouent au tarot en écoutant le dernier disque de Brassens qu'ils reprennent tous les quatre en chœur : « Elle m'emmerde vous di-i-is-je ! »

La mère de Florian interrompt le chœur des misogynes :

— Il faut rentrer, maintenant, il va faire nuit.

Les garçons se séparent en se serrant la main sur le pas de la porte.

Paul, Raphael et Christophe remontent l'avenue de la mer dans l'obscurité.

— Il est sympa, Florian.

— Oui, mais il est souvent malade.

— Qu'est-ce qu'il a ?

— On sait pas trop, mais il y a plein de trucs qu'il ne peut pas faire. Il est tout le temps fatigué.

— Moi, je le trouve bien. En tout cas, il est super sympa.

Ils s'arrêtent à la boulangerie pour acheter du pain. Les femmes tunisiennes font la queue, certaines avec leurs enfants.

Le pain avait une odeur particulière. Même la baguette moulée qu'ils vendaient sous le nom de pain français, ça n'avait rien à voir. On l'emportait alors qu'il sortait du four. On en mangeait beaucoup. Il avait le goût de ce que j'étais en train de vivre avec Raphael et Paul, dans cette famille nouvelle, cette famille heureuse. Heureuse que je sois là. Et avec le pressentiment que ça ne se reproduirait pas, que c'était le moment le plus heureux de ma vie.

— Est-ce que Florian est là ?

— Oui, mais il ne peut pas sortir.

— Pourquoi ?

— Il est fatigué.

— Je peux le voir ?

— Pas longtemps.

Florian était couché, pâle, abattu.

— Qu'est-ce que tu as ?

— C'est une maladie chronique... des sta-phylocoques... J'ai l'habitude... c'est pas grave.

— Tu veux que je te laisse dormir ?

— J'arrive pas à dormir, de toute façon.

— Alors tu fais quoi ?

— Je bouquine. Je révise...

— Elle est à toi, cette guitare ?

— Oui. Tu sais jouer ?

J'ai pris la guitare accrochée au mur, j'ai commencé à l'accorder. J'ai plaqué quelques accords, un arpège.

— Tu joues vachement bien !

— Avant je faisais du piano. Mais comme je ne vais plus chez ma grand-mère, j'ai arrêté.

— Tu habites à Paris ?

— Ben oui.

— C'est vrai que tu connais des chanteurs ?

— Oui.

— Qui, par exemple ?

— Boby Lapointe, ça compte ?

— Bof.

— J'aime bien ton accent, ça vient d'où ?

— Milhaud.

— Et le classique, tu aimes ça ?

— Un peu, ça dépend.

— Tu connais, ça ?

Je lui ai joué le premier mouvement de la *Sonate au clair de lune* de Beethoven, je me suis arrêté à la moitié du chemin, quand c'est devenu trop difficile.

— J'aurais dû emmener la mienne.

— Mais tu la joues super bien.

— Quand je reprends après un moment sans travailler, je joue toujours bien. C'est quand j'en fais tous les jours, plus je travaille, plus ça devient nul.

— C'est bizarre.

— De toute façon, je préfère le jazz. T'aimes le jazz ?

— Pas trop. Je ne connais pas.

— C'est cent fois mieux, le jazz. La musique noire. Ray Charles, tout ça.

Il n'y avait en moi aucune surprise, aucun doute, pas le moindre malaise. C'était irrésistible. Et je ne me posais pas la question de savoir si Florian était ou non dans le même état que moi.

— Tu es fatigué ?

— Non, ça va. Dans deux jours, ça ira mieux.

— Je reviendrai.

— Je peux te prêter ma guitare, si tu veux, je m'en sers presque pas.

— Merci, c'est sympa, je veux bien... Ben j'y vais, alors.

Il se penche sur Florian pour toucher son front.

— T'es brûlant.

— J'en ai tellement marre d'être malade...

J'avais envie de l'embrasser, lui, son odeur, ses cheveux, son cou, sa maladie, l'embrasser pour attraper sa maladie.

— J'espère que tu vas guérir vite.

Je suis sorti de la chambre avec sa guitare.
Il a prévenu sa mère :

— Je lui ai prêté ma guitare.

— Il faut que tu te reposes, maintenant.

Elle ne m'aimait pas, elle voulait que je parte.

— Au revoir, madame.

— Au revoir, mon garçon. Comment tu t'appelles, au fait ?

— Ludwig.

Elle n'a pas compris ou pas apprécié la plaisanterie.

Christophe remonte l'avenue de la plage et d'un coup, il s'arrête de marcher, s'appuie contre un arbre, comme pour reprendre son souffle. Il serre la guitare contre son ventre, il la frotte contre son sexe, en fermant les yeux. Il est interrompu par un passant qui le regarde d'un drôle d'air.

Quand je suis arrivé à la maison, Lucienne était en train de corriger ses copies, elle était prof d'anglais dans une école de bonnes sœurs.

Je me suis blotti contre elle.

— Je suis tellement bien, avec vous. Je voudrais ne jamais rentrer à Paris.

— Ça fait à peine trois jours que tu es là.
— Florian m'a prêté sa guitare.
— C'est gentil.
— Il ne s'en sert pas.
— C'est gentil quand même.
— Oui. Il est gentil.
— Qu'est-ce qu'il y a ?
— Rien.

C'est la nuit, tout le monde dort. Christophe sort de la maison en cachette.

Il redescend l'avenue déserte en direction de la mer. Il arrive devant la villa de Florian. Il frappe au carreau de la chambre. Quelques instants plus tard, Florian ouvre la fenêtre :

— Qu'est-ce qu'il y a ?

— Je pensais à toi.

— Moi aussi.

— J'avais envie de te voir.

— Moi aussi.

— Je voudrais rester avec toi.

— Entre.

Christophe escalade la fenêtre tandis que Florian se recouche en laissant de la place à Christophe pour qu'il puisse s'allonger à ses côtés.

— J'aime bien ta gueule.

J'étais une fois de plus face à un obstacle.

A croire que j'aimais ça, les obstacles. L'obstacle de l'âge avec Lilas, et maintenant, avec Florian, je sentais qu'il y avait encore un obstacle.

— Tu veux pas qu'on s'embrasse pour voir ?

— Si tu veux.

Ils s'embrassent.

— Tu aimes ça ?

— Oui.

— Moi, ça me fait bander.

— Moi aussi.

— Fais voir.

Christophe passe sa main sous le drap de Florian.

— Arrête.

— Tu as giclé ?

— Oui.

— Je t'aime.

Florian ferme douloureusement les yeux. Après un temps de silence, la conversation reprend.

— Et toi ?

— Je voudrais vous parler.

— Nous t'écoutons.

Lucienne et Lou étaient couchés. Je me suis assis au bord du lit.

— Je ne peux plus vivre avec mon père.

— Tu veux aller avec ta mère ?

— Mon père a menacé de tous nous tuer si ma mère obtenait la garde.

— C'était il y a longtemps, ça.

— Ce qu'il fait avec Justin, c'est horrible.

— Qu'est-ce qu'il fait ?

— Il est méchant. Il lui fait peur. Je veux rester avec vous…

Ils s'y attendaient, et je crois même qu'ils l'attendaient. Ils étaient flattés, et ils pensaient sincèrement que c'était ce qu'il y avait de mieux pour moi.

— Je ne rentrerai pas en France.

— Comment ça ?

— Je ne rentrerai pas en France.

— Calme-toi, Christophe...

— Je ne reprendrai pas l'avion. Je vous avertis, c'est tout. Et si mon père n'est pas d'accord, il n'a qu'à me faire rechercher par ses copains les flics, qu'il me fasse foutre en taule, je m'en fous.

— Ne dis pas de conneries.

— Je préfère aller dans une maison de redressement, ou je ne sais pas quoi, plutôt que de retourner vivre avec lui.

— Tu ne sais effectivement pas de quoi tu parles, Christophe.

— Je me sens bien avec vous. Je n'ai jamais été aussi heureux. Je ne veux pas partir.

Si je leur avais dit la vérité : « Je veux rester à cause de Florian », ça n'aurait jamais marché, Il fallait inventer une histoire qui les culpabilise, qui les valorise, qui les motive.

— Et tu nous mets dans une situation impossible.

— Ne vous occupez pas de moi. J'ai un plan.

— C'est-à-dire ?

— J'irai quelque part.

— De quoi tu parles ?

Les larmes me sont montées, c'était un peu exagéré. En même temps, il n'est pas dit que je ne me serais pas pendu ou noyé ou ouvert les veines s'ils avaient tenté de me faire retourner en France.

— Bon, je vais appeler ton père.

— Non, dit Lucienne, c'est moi. C'est mieux si c'est moi.

Elle se sentait plus légitime en tant que seconde mère, en tant qu'ancienne membre du Parti, au nom de la cité universitaire d'Antony, au nom de la guerre d'Algérie, de tous les principes qu'ils étaient censés partager.

A Raphael et à Paul, j'ai fait croire que c'était pour eux que je refusais de partir ; à Lucienne et à Lou, j'ai fait croire que c'était pour eux. J'avais hâte d'annoncer à Florian que c'était pour lui que j'allais rester.

La 4L s'arrête devant la maison de Florian, Lucienne et Christophe en descendent.

Lucienne sonne à la porte. Odile les fait entrer. Lucienne lui explique qu'elle doit téléphoner en France, en PCV.

Il faut passer par une opératrice, attendre l'accord du correspondant.

Christophe est nerveux. Lucienne essaie de le rassurer, mais elle se trompe en partie sur la nature de cet énervement.

N'y tenant plus, Christophe se dirige vers la chambre de Florian juste au moment où Lucienne entre en communication avec Jean-Claude.

Florian est dans son lit.

— Tu es encore malade ?

— Ça va mieux.

Christophe s'assied au bord du lit sans oser un geste.

— Lucienne est en train de téléphoner à mon père pour lui dire que je veux rester en Tunisie.

— Ah bon ?

— Même s'il refuse, je ne rentrerai pas en France.

— Pourquoi ?

— Pour toi.

— Ah bon ?

— Je veux continuer de te voir.

— Ah bon ?

— Ça ne te plaît pas ?

— Si.

— C'est vrai ?

— Oui.

— Tu as pensé à moi ?

— Oui.

— Alors ? Tu as réfléchi ?

— A quoi ?

— A ce que je t'ai demandé, l'autre soir.

— Je ne sais pas.

— Moi, je t'aime. Je sais que toi aussi.

— Ne parle pas si fort.

— Tu as peur ?

— Non.

— Ben si.

Florian baisse les yeux. Christophe glisse

sa main sous la couverture. Mais Florian l'arrête.

— Pourquoi ? Qu'est-ce qu'il y a ?

— Je ne veux pas.

— Si tu veux ! Je le vois dans tes yeux. Tu m'aimes, mais tu as peur...

— C'est pas ça.

— Il suffit de le dire à personne, on s'en fout. Moi, je n'ai rien dit.

— Je ne suis pas comme toi.

— Ça veut dire quoi ? Je suis comment ?

Lucienne entre alors dans la chambre, le visage défait, comme après un drame.

— On y va, Christophe.

— Qu'est-ce qu'il a dit ?

— Je t'expliquerai. Viens...

Florian serre la main de Christophe et lui tend une enveloppe.

C'était étrange, cette lettre, elle me faisait plaisir alors que j'imaginais bien les conneries qu'il y avait à l'intérieur. Je l'ai prise, parce que c'était toujours ça de pris.

Après avoir remercié Odile, Christophe et Lucienne sortent de la maison, et montent dans la 4L.

— Ton père est d'accord pour que tu restes avec nous.

Elle se met à pleurer.

Elle n'a jamais voulu me raconter ce qu'ils s'étaient dit ce soir-là au téléphone. Elle a simplement dit que mon père était un monstre, elle répétait le mot, un monstre.

Voir l'état dans lequel mon père avait réussi à la mettre, c'était révoltant et réconfortant, comme si quelqu'un d'impartial, et qui plus est une de ses plus chères et anciennes amies, comprenait enfin qui était mon père.

J'éprouvais alors une reconnaissance infinie envers cette seconde mère qui, elle, avait su me défendre et me garder face aux menaces et aux injures de mon père.

Lucienne se reprend, essuie ses larmes, embrasse Christophe, et démarre la voiture.

Ils arrivent devant leur maison, retrouvent Raphael, Paul et Lou qui prend Lucienne dans ses bras, comme une rescapée. Tandis que Christophe annonce la bonne nouvelle à Raphael et Paul.

On allait vivre comme des frères que nous étions désormais officiellement, ou presque.

Christophe, enfermé dans les toilettes, ouvre la lettre de Florian.

On ne m'avait encore jamais écrit de lettre d'amour, fallait-il que la première fût une lettre de rupture ?

Christophe descend l'avenue de la mer, la guitare de Florian sur son épaule.

Il cogne au carreau de la chambre de Florian, qui lui ouvre et réceptionne son bien. Christophe lui rend sa lettre.

— Je t'ai rapporté ça, aussi.

J'ai observé son visage, longtemps, trop longtemps, comme une photo que j'aurais laissée dans le bain révélateur, et qui devient noire.

— Raphael a raison, en fait, tu es moche.

Il m'a donné un coup de poing qui m'a atteint à l'oreille. La surprise était douloureuse, humiliante, je me suis tenu la tête, plié en deux.

— Tu m'as fait mal, putain...

— Je m'excuse...

Je me suis relevé, j'ai fixé à nouveau ce visage que l'amour avait quitté.

— T'es vraiment con comme mec. Moche
et con.

En remontant l'avenue de la mer, j'ai senti
que la douleur avait disparu, celle que j'avais
dans le ventre. Le coup de poing avait écrasé
mon chagrin.

Lou m'a convoqué dans la chambre parentale.

Il m'a expliqué qu'il était désormais mon tuteur ; ce qui voulait dire qu'il était responsable de moi, et donc de « toutes les conneries » que j'allais pouvoir inventer. Il ne doutait pas qu'il y en aurait. Avec des garçons comme vous, disait-il, on ne sait jamais exactement à quoi on peut s'attendre, mais il était clair qu'il ne laisserait rien passer.

— Est-ce que tu comprends ?

— Oui.

Pas complètement, en fait. Je me demandais par exemple si Florian faisait partie des conneries à ne pas faire. En attendant, cette façon de me parler m'impressionnait et me rassurait.

— Ton père m'a envoyé ton carnet scolaire,

où tes notes sont très mauvaises. Mais bon, j'imagine que c'est par paresse ?

— Je ne sais pas.

— Ça n'est pas par bêtise, rassure-moi.

— Non.

— Donc, à partir de maintenant, tu arrêtes avec la paresse. On est d'accord ?

— Oui.

— Et puis il faut que tu te fasses couper les cheveux.

— Ah bon ?

— Tu ne peux pas aller au lycée comme ça.

— Pourquoi ?

— On est en Tunisie, ici.

Je n'étais plus allé chez le coiffeur depuis l'âge de sept ans. Et je ne me peignais jamais, afin d'avoir des cheveux sauvages, anarchiques, emmêlés, des cheveux de gauchiste.

— Il y a un coiffeur devant la gare.

Il m'a donné un billet de dix dirhams pour payer le coiffeur.

C'était une boutique à l'ancienne, avec des fauteuils très hauts, des miroirs en mauvais état, et une clientèle exclusivement masculine.

Ils me regardaient tous comme s'ils allaient me bouffer, par désir, par haine.

J'ai demandé au coiffeur qu'il me coupe le minimum. Le plus gros travail étant de les démêler.

Christophe sort de chez le coiffeur. Ses cheveux paraissent encore plus longs car ils sont propres, lisses, et trop bien coiffés à son goût. Il se frotte la tête pour les ébouriffer.

Regard noir de Lou en voyant la coupe de Christophe.

— C'est quoi, ça ? Je t'ai demandé d'aller chez le coiffeur pour te faire couper les cheveux courts.

— Courts ?

— Oui, courts.

Christophe entre à nouveau chez le coiffeur.

Les mèches de cheveux tombent sur le sol.

Christophe se regarde dans le miroir. Il se tourne vers le coiffeur :

— Encore plus court.

De nouveau des mèches sur le sol. A présent, il ne se reconnaît pas.

Il sort de chez le coiffeur, les cheveux courts. Il se caresse le crâne. Il éclate de rire.

Le plus drôle était de sentir l'air sur ma nuque, mon visage, de me promener dans la rue, comme libéré, dénudé.

Janvier 1970. Raphael, Paul et Christophe, leur cartable à la main, montent dans le train qui vient de s'arrêter en gare de Radès.

Le wagon est bondé : beaucoup d'adultes, surtout des hommes. Les trois garçons restent debout. Le train traverse la campagne et s'arrête en gare de Sidi Rezig, de Megrine Riadh, de Djebel Jelloud. Raphael fait répéter à Paul sa récitation. Christophe s'en mêle pour l'embrouiller. Ils se chamaillent, les voyageurs protestent, les trois adolescents ricanent.

On n'avait plus besoin de faire croire que nous étions frères, nous l'étions. J'avais réussi mon coup.

Le train arrive au terminus en gare de Tunis. La cohue pour descendre. Les trois garçons sont les premiers sur le quai.

Ils traversent les rues de Tunis jusqu'au lycée Carnot, rejoignent la foule des élèves.

C'était un mélange de Français, fils de coopérants, des Italiens, des Juifs, des Arabes, toute la bonne bourgeoisie locale envoyait ses enfants au lycée français de Tunis ; j'allais n'en faire qu'une bouchée. Maths, français, histoire, devenir un bon élève était une mue aussi douce que l'air frais qui me caressait à présent la nuque. Le cancre trotskiste hirsute jouait au premier de la classe bien dégagé derrière les oreilles, tendance PSU.

Les élèves sortent du lycée.
Les trois garçons se retrouvent devant la petite boutique qui vend des sandwiches au thon, dégoulinant de mayonnaise, de tomates et d'oignons. Ils en achètent un chacun qu'ils dévorent en route.
Ils s'arrêtent à la librairie française.

C'est là que j'ai acheté *Le Rouge et le Noir*, *Germinal*, des livres pour garçons de mon âge.
A la gare, on s'amusait à imiter l'accent du vendeur de journaux qui criait : « *Al-Ahram*

France-Soir Le Monde ! », notre seul lien quotidien avec la France.

Christophe achète *Le Monde*, Paul un paquet de « glibettes », pépins de pastèque grillés et salés.

Ils montent dans le train. Tandis que Christophe, l'air sérieux, prend des nouvelles de la guerre du Cambodge, Raphael dessine des Tarzan sur son cahier de dessin. Paul regarde par la fenêtre en grignotant ses « glibettes », et comme tout le monde, recrache les enveloppes de pépin, dont le sol du wagon est jonché.

Djebel Jelloud, Megrine Riadh... Les trois garçons descendent à la gare de Radès.

Ils s'arrêtent devant Le Globe, le cinéma de la ville, pour regarder les photos du film qui sera projeté la semaine prochaine : *Le Bon, la Brute et le Truand,* de Sergio Leone.

Nous avions déjà vu ce film à Paris, mais on allait le revoir, et pour se préparer, on redescendait l'avenue de la mer en chantant la musique du film, j'étais le Truand, Paul la Brute, et Raphael le Bon, sans hésiter.

Le grand salon du premier étage de la maison est équipé de deux banquettes avec des
coussins, petits et gros, des couvertures, il y
a aussi des poufs, une table basse sur laquelle
les trois garçons mangent l'omelette au cumin
que Lucienne leur a cuisinée.

C'est à Paul de débarrasser et de faire la vais-
selle. Quand il a fini, il va rejoindre les deux
autres autour du « kanoun » où ils se réchauffent.

Christophe écrit à sa mère sur un rouleau
de papier de caisse enregistreuse.

Je ne sais plus d'où m'était venue cette idée,
je n'avais certainement pas entendu parler du
voyage de Kerouac, encore moins des *Cent
Vingt Journées de Sodome*. Sur ce rouleau, je
racontais ma vie, interminablement, et j'en-
voyais ça à ma mère. J'ignore ce qu'elle en a
fait. Perdu, peut-être.

A neuf heures, on montait dans notre chambre. C'était glacial. On jouait au tarot sous les couvertures, pour se protéger du froid.

A l'heure de dormir, je me lançais dans une énième et vaine tentative d'approche sur Raphael.

Je n'arrivais toujours pas à savoir où il en était. Il ne se laissait pas interroger, et encore moins toucher, ça m'exaspérait. Je me demandais si ce n'était pas sa chasteté qui déclenchait ces allergies chroniques.

Paul manifestait au contraire de plus en plus d'intérêt pour la chose. Je lui expliquais tout, le guidais véritablement sur le chemin du plaisir, mais il avait beau se branler tant et plus, ça ne venait pas, c'était désespérant. Il en était furieux, jaloux, jaloux de ces deux grands frères toujours plus grands que lui, toujours en avance sur lui.

A force de me tripoter, il m'était arrivé quelque chose d'étrange :

— Eh, les mecs ! J'ai perdu mes couilles !
— Tu déconnes.
— Fais voir !

J'avais réussi à remonter mes testicules par le canal inguinal, de telle sorte que mes bourses se retrouvaient vides.

— Comment tu fais ça ?

— Montre-le à Lou.

Je n'y avais pas pensé. Je n'envisageais pas cette fantaisie comme une malformation anatomique, encore moins comme une éventuelle pathologie, puisqu'elle ne provoquait aucune douleur, aucun plaisir non plus, sinon celui d'émerveiller mes frangins. Je considérais plutôt ça comme un don. Un de plus.

Il m'est impossible aujourd'hui de reconstituer visuellement la scène de l'auscultation par Lou. Je sais qu'elle a eu lieu, mais est-ce que Raphael et Paul étaient présents ? Je dois à l'honnêteté de dire que je ne m'en souviens pas. Or ce n'est pas un détail quand on connaît la suite.

— C'est rien, a dit Lou. Tu risques seulement, un jour, d'avoir une hernie à cet endroit-là.

Le diagnostic m'a rempli de fierté, car si cette hernie promise n'était pas pour tout de suite, j'étais quand même atteint par quelque chose, une menace, un drame, sorte de maladie à prendre en compte. Mais pas de quoi rivaliser avec Raphael et ses étouffements de plus en plus impressionnants, ses croûtes purulentes, sa névrose galopante. J'étais désespérément en bonne, en excellente santé.

Ils sont tous les cinq dans la 4L qui roule en direction de Nabeul. Christophe et Lucienne chantent : « La Butte rouge, c'est son nom, le baptême se fit un matin où tous ceux qui montaient roulaient dans le ravin. » Lou se cure les dents avec une aiguille, tout en conduisant. Quand Paul essaie de chanter avec eux, tous le supplient d'arrêter parce qu'il chante faux…

Ils arrivent sur le site archéologique. Les trois garçons courent au milieu des colonnes romaines qui se dressent devant la mer. Plus loin, Lou négocie avec les enfants du coin l'achat de quelques pièces et lampes romaines, tandis que Lucienne étudie le *Guide bleu*.

Sur le chemin du retour, en passant devant les flamants roses du lac de Radès, Paul chante la chanson d'Hugues Aufray : « Il s'appelait Stewball, c'était un cheval blanc, il était mon idole, et moi j'avais dix ans... »

Il chante toujours aussi faux, mais on ne peut plus l'arrêter, il ira jusqu'au bout : « J'ai vu pleurer mon père, pour la première fois », que tous reprennent en chœur.

C'est devenu notre leitmotiv : « J'ai vu pleurer mon père pour la première fois. »

Les trois garçons descendent l'avenue de la mer avec du matériel de pêche.

Ils croisent en chemin les enfants du quartier qui emmènent leurs moutons, leur tapant dessus à qui mieux mieux avec des bâtons. La queue des moutons bringuebale, lourde de graisse.

Ils passent devant la maison de Florian sans s'y arrêter.

Ils se déshabillent et entrent dans l'oued avec le filet. Ils ont de l'eau jusqu'à la taille, lancent le filet, le ramènent : résultat nul. Ils s'avancent à nouveau, plus loin, soudain, ils n'ont plus pied, Paul trébuche, le filet lui échappe, il crie, se fait disputer par son frère.

Ils plongent pour retrouver le filet de Lou. Mais dans l'eau trouble de l'oued, c'est impossible. Il a dû être emporté.

Paul est terrifié à l'idée de devoir annoncer

la perte du filet à Lou. Il plonge encore, se risque de plus en plus loin. Toujours en vain. Il boit la tasse, manque de se noyer. Christophe, meilleur nageur, le rattrape, et décide qu'il est inutile de continuer :

— C'est foutu.

Ils rentrent bredouilles, la peur au ventre.

Lou les accueille. Christophe prend la parole pour annoncer la mauvaise nouvelle. Paul fond en larmes. Lou a un geste d'apaisement sur la tête de l'enfant. Pas de hurlement, pas de punition. Juste un haussement d'épaules.

Depuis la terrasse de la maison, les trois garçons suivent la cérémonie de l'égorgement du mouton qui se déroule dans le jardin des voisins.

On pouvait regarder ça et le soir, aller au cinéma de Radès pour voir *La Horde sauvage* de Sam Peckinpah. On pouvait se balader dans les souks de Tunis pour acheter des bottes en marchandant. On pouvait regarder notre chatte se faire sauter par les chats du quartier sur le mur du jardin, ses hurlements ressemblaient à des cris d'enfant. On pouvait faire du cheval sur la plage d'Hammamet, et jouer avec des scorpions.

Christophe est au volant de la 4L, Raphael est à côté de lui, Paul à l'arrière. Christophe démarre la voiture, passe la première, la seconde, ils font ainsi le tour du pâté de maisons. A leur retour, Lou les attend. L'engueulade est sévère.

Lou vient chercher Raphael alors qu'il est en train de jouer aux cartes avec Christophe et Paul :

— Viens, Raphael, il faut qu'on parle.

Raphael le suit en traînant les pieds. Ils retrouvent Lucienne dans la chambre. Lou ferme la porte.

Ces mystérieuses séances pouvaient durer une heure, deux heures... durant lesquelles Paul et moi nous perdions en conjectures. Nous attendions la guérison de notre frère avec espoir, mais dans cette attente se mêlait de l'agacement, et pointait le doute.

Lucienne sort de la chambre, Paul se précipite pour aller retrouver son frère, mais elle l'en empêche :

— Ils ont encore des choses à se dire. Il faut les laisser.

Lucienne entraîne Christophe et Paul dans la cuisine où elle leur prépare à manger.

De ces interminables conversations psycho-thérapeutiques, Raphael ressortait groggy. Il convenait de dire qu'elles lui faisaient du bien et que si elles ne le guérissaient pas, elles empêchaient le mal d'empirer. Mais de quel mal s'agissait-il ? Ça relevait du secret médical. Un secret bien gardé, qui sera malgré tout levé, trente et quelques années plus tard.

Paul et Christophe sont couchés, Paul lit *Pilote*, Christophe *Le Rouge et le Noir*. Raphael vient les rejoindre. Il se déshabille en silence, enfile son pyjama, Christophe et Paul l'interrogent du regard, mais Raphael baisse les yeux :

— Poussez-vous.

Les deux garçons s'écartent pour lui faire de la place.

Paul éteint.

Au petit matin, Lucienne et les trois garçons prennent leur petit déjeuner : tartine, chocolat à l'eau. L'ambiance est chaleureuse. Ils embrassent Lucienne avant de quitter la maison.

2 juillet 1970, Lucienne conduit la 4L. Christophe est assis à côté d'elle, il observe le paysage entre les courbes du serpent du caducée de Lou.

Devant le portique d'embarquement, Lucienne serre Christophe dans ses bras, en pleurant.

Il monte dans l'avion. L'avion décolle.

Le nez collé au hublot, Christophe regarde la Tunisie rétrécir, et disparaître.

J'étais anxieux de retrouver mon père, et pressé à l'idée de repartir en vacances. Il était question que j'aille d'abord passer quinze jours en Angleterre, pour perfectionner mon anglais au sein d'une famille anglaise. L'organisme chargé de ce séjour linguistique s'appelait Vacances studieuses.

Ensuite, je descendrais dans le Midi,

rejoindre mon père, et revoir Lilas, peut-
être.

Jean-Claude accueille son fils à l'arrivée
de l'avion. Mal à l'aise, il ne l'embrasse pas
comme s'y attend son fils. Il lui serre la main
et avec un sourire embarrassé :
— J'ai eu ton bulletin. C'est bien.
Christophe baisse la tête.

Le père et le fils entrent au cinéma pour voir *Sex Power*.

La salle est pratiquement vide. Jean-Claude achète des esquimaux à l'ouvreuse qui circule dans les rangées avec son panier.

Ils regardent le film d'Henry Chapier avec un certain ahurissement.

Mon père voulait faire copain avec moi en m'emmenant voir un film érotique mais c'était d'abord un film à mourir d'ennui, et pas du tout sexuel.

Il devait être curieux de savoir si j'avais fait des conquêtes en Tunisie. Mais il n'a pas osé me poser de question.

Ce film ridicule ne méritait pas qu'on reste. Pour la première fois depuis longtemps, et sans doute pour la dernière fois, j'étais d'accord avec lui.

126

Ils sortent de la salle, imités par d'autres spectateurs, tout aussi navrés du spectacle.

On est allés voir un autre film, *Woodstock*. Là, c'était autre chose. Les riffs de Santana me donnaient envie de refaire de la musique, et la révolution que j'avais un peu oubliée.

Christophe débarque à Tonbridge, un petit bourg du Kent, à une quarantaine de kilomètres de Londres. Il est reçu par un couple d'Anglais qui habite un de ces pavillons surnuméraires.

J'étais dans la chanson de Graeme Allwright : « Petites boîtes, petites boîtes… toutes pareilles. » On aurait dit qu'il y avait une chanson pour chaque moment triste de ma vie.

Ils m'ont montré ma chambre, à l'étage, c'était celle de leur fils, qui était en France pour apprendre le français. J'ai pris sa place dans le lit. Je n'arrêtais pas de changer de famille, chacune avait son odeur, qui dégageait une angoisse particulière. Et toujours le même réflexe dans les lieux nouveaux, mais puisque j'étais en Angleterre, pour respecter la conduite à gauche, je trouvais malin de me branler de la main gauche.

Sinon, je me souviens que la nourriture était nulle, avec ces gelées aux goûts chimiques et aux couleurs primaires qu'ils servaient à la fin des repas. Il y en avait aussi au petit déjeuner.

Le matin, je me rendais au cours où je retrouvais une trentaine de petits Français enrôlés dans ces Vacances studieuses.

Je m'étais fait un copain, Léo, qui m'avait paru le plus dégourdi et le plus déconneur de la classe. Il devait être beau, aussi.

Un samedi après-midi, ils ont organisé une boum dans le préau de l'école.

Sur des tréteaux, plusieurs sortes de sodas et de gâteaux à la banane, à la carotte, et des gelées de toutes les couleurs, plus ou moins assorties aux jeunes filles anglaises qu'on nous a présentées. Il fallait danser sur la musique des Beatles.

Léo savait s'y prendre, moi pas du tout.

C'était ma première boum, et j'ai détesté ça. Prendre une fille dans mes bras devant tout le monde, c'était au-dessus de mes forces.

— How do you do ? My name is Christophe. What is your name ?

J'ai essayé de lui parler politique, savoir si ça l'avait rendue triste que le Labour Party ait perdu les élections. Moi, je trouvais ça très bien, ça forcerait le peuple à prendre les armes vu que les élections c'était un piège à cons. Je perfectionnais mon anglais, mais je parlais dans le vide. Elle ne savait même pas que Marx était mort à Londres. J'ai essayé avec Sigmund Freud qui s'était réfugié à Londres pour fuir les nazis, mais elle ne connaissait ni l'un ni l'autre, ou alors je prononçais mal leur nom.

Je voulais bien tomber amoureux d'une Anglaise, blonde, même pas très jolie, mais pour le désir il fallait quand même qu'elle ait un minimum de conscience de classe.

Ma famille d'accueil est venue me chercher en voiture à la fin de cette réunion calamiteuse.

La classe linguistique en sortie touristique à Londres. Carnaby Street, Buckingham Palace... Christophe et Léo ne dissimulent pas l'ennui qu'ils ressentent à cette situation.

— C'est horrible, mec.

— On se casse.

Ils se laissent glisser à l'arrière du groupe et disparaissent dans la foule. Les voilà libres et très excités.

— Qu'est-ce qu'on fait ?

Il y avait la tombe de Marx, au cimetière de Highgate. Ou alors, celle de Freud, au funérarium de Golders Green. Un petit quart d'heure de marche séparait les deux mausolées, d'après mes calculs, le pèlerinage me semblait sympa. Léo se foutait autant du communisme que du complexe d'Œdipe, il voulait aller à Brighton, certain de pouvoir rencontrer des filles.

J'étais d'accord. On s'est retrouvés au bord de la route à faire du stop.

On a tout de suite été pris par une voiture qui nous a conduits directement à la station balnéaire préférée des hippies.

J'étais déjà venu avec mes grands-parents et mes oncles, mais là, c'était pas pareil.

Il a fallu qu'on fasse la manche pour se payer des fish & chips et des entrées au Brighton Pier. On a perdu tout notre fric dans leurs infernales machines à sous, mais c'était beau, c'était grand, c'était freedom my friend.

On a couru sur la jetée au soleil couchant. Le soir, sur la plage de galets, on a erré d'une digue à l'autre, d'un groupe de beatniks à l'autre.

No sex, no drugs, et du rock & roll pourri. Ils jouaient tous comme des pieds, chantaient des songs qu'on ne connaissait pas. Et il s'est mis à pleuvoir.

Ce que j'avais aimé dans Woodstock, c'était le film, à regarder au chaud, en léchant un esquimau.

On est rentrés à Tonbridge le matin, trempés, épuisés, fiers de notre virée, ne prêtant aucune attention aux récriminations du professeur qui nous a expliqué que les responsables de Vacances studieuses nous avaient signalés à la police comme disparus et que nous allions devoir répondre de notre comportement irresponsable.

Ils ont essayé d'appeler mon père qu'ils n'ont pas trouvé et ma mère les a envoyés paître.

— Méfiez-vous, j'ai dit, on a des camarades de l'autre côté du Channel qui sont prêts à se mobiliser pour nous. Je vous annonce que la révolution culturelle est en marche, rien ne pourra l'arrêter. Les vieux ont peur des jeunes, les jeunes n'ont peur de rien. Les jeunes comme nous.

Ils ont cru que nous avions réellement des liens avec des organisations gauchistes sur le continent, ils ont tellement eu la frousse qu'il y avait un car de CRS pour nous attendre à la gare du Nord. J'envisageais déjà la prochaine étape : un wagon plombé en direction de Petrograd.

Il devenait urgent de faire la révolution, mais pour de bon, cette fois.

Ma mère avait loué une petite barraque, près d'Avignon, pour passer les vacances avec Fernand, Elisa, et moi. Un soir, on est allés voir la pièce de Benedetto, *Rosa Lux*, dans une petite salle du festival. Ils n'appelaient pas encore ça « le off ».

Au bout d'un quart d'heure de représentation, je me suis levé en criant : « C'est de la merde ! »

J'ai pris le goût de faire des scandales, partout, pour un oui pour un non, introduire la contestation chez les contestataires, semer la perturbation parmi les perturbateurs. Faire la révolution contre les révolutionnaires.

Ce soir-là, j'ai adoré être éjecté *manu militari* de la salle de spectacle où se donnait cette pièce antimilitariste : il en fallait si peu pour transformer les théâtreux d'extrême gauche en flics de l'ordre nouveau culturel. Béjart-Vilar-Salazar.

On est repartis à bord de notre vieille Jaguar.

Il faisait chaud, on mangeait des pastèques sous la tonnelle, et on fabriquait des hamacs. Je n'avais jamais dormi dans un hamac, encore moins dans un hamac fabriqué par moi. Je ne m'étais donc jamais branlé dans un hamac, ce qui fut fait, à la première occasion. Et à vélo, sur les routes ensoleillées du Vaucluse, sur les galets de la Durance. C'était une petite maison avec beaucoup de livres. Après avoir lu *Nexus*, et *Plexus*, dans mon hamac, j'ai cherché le troisième élément de la *Crucifixion en rose*. En vain. Alors nous sommes partis, Fernand et moi, acheter *Sexus*.

Ma mère avait rencontré Fernand dans son cabinet de psychanalyse. De son meilleur patient elle avait fait son plus bel amant, ce sont des choses qui arrivent, heureusement.

Ils entrent dans la grande librairie d'Avignon. Ils cherchent dans les rayonnages à la lettre M, comme Miller, Henry Miller. Rien. Fernand s'adresse à la libraire :

— Vous n'avez pas *Sexus*, d'Henry Miller ?

135

— Nous ne vendons pas ce genre d'ouvrages.

— Ah, dommage. *Les Onze Mille Verges* ?

— Pas davantage, monsieur.

— *La Turlute enchantée* ?

— Ça suffit !

— Je ne peux pas le commander ?

— Sortez, monsieur, ou j'appelle mon mari !

— Il connaît l'ouvrage ?

Christophe ne se retient plus de rire.

La libraire est au bord de l'apoplexie.

Les deux affreux finissent par sortir.

On a trouvé le *Sexus* de Miller dans une autre librairie d'Avignon.

Quelques années plus tard, quand je rendrai visite à Fernand, devenu à son tour psychanalyste, il sera embourgeoisé, heureux, dans un pavillon cossu, entouré d'enfants, des filles surtout, que ma mère n'avait pas pu lui donner, j'imagine.

J'ai retrouvé ma chambre parisienne. Le lycée, la solitude, l'ennui.

Un samedi, je me suis équipé pour me rendre au festival de musique pop sur l'île de Wight : un sac de couchage roulé sur son sac à dos, la guitare en bandoulière, me voilà dans le métro. Dans le couloir de la gare du Nord, je croise un type, il avait tous les signes extérieurs du hippie. Reconnaissant en moi un coreligionnaire, il m'a adressé ce signe de reconnaissance : le V de peace & love. Mon sang s'est glacé. Je ne pouvais plus avancer.

Si le ridicule ne tue pas, il peut bloquer la respiration pendant quelques secondes.

J'ai aussitôt rebroussé chemin pour me réfugier dans ma chambre, avec *Ma vie* de Léon Trotski.

Un soir, on frappe à la porte de sa chambre. Il ouvre. Lilas apparaît, souriante, affectueuse.

Elle est de passage à Paris, elle a pensé à lui.

— Tu t'es coupé les cheveux !

— Mais je les laisse pousser, maintenant.

Christophe la fait entrer.

Ils s'embrassent.

Ils sont tous les deux assis au bord du lit.

Il pose sa tête sur ses genoux.

— Alors, Christophe, qu'est-ce que tu deviens depuis le temps ?

— Je suis parti en Tunisie, six mois. Maintenant, je suis de nouveau au lycée, et ça m'emmerde. Et toi ?

— Je vais peut-être vivre à Paris.

— On va se voir, alors.

— Oui.

— Tu veux rester dormir ?

Elle rit, en guise de réponse.

— Tu n'as pas une amoureuse ?

— Non.

— Menteur !

— Non, c'est vrai.

— Tu es bien installé, ici. T'as de la chance.

— Bof.

— Tu veux que je reste dormir avec toi ?

— Oui !

Christophe se blottit contre le ventre de Lilas. Il la caresse, elle le laisse faire, au début. Mais l'empressement du garçon la surprend, ou l'effraie. Elle se dégage.

Il se couche, elle hésite, puis se déshabille et vient le rejoindre dans le lit.

Christophe attaque à nouveau, mais Lilas, décidément, se refuse :

— Tu as drôlement changé, dit-elle.

— Pourquoi tu dis ça ?

— Comme ça. Viens...

Elle le prend dans ses bras, d'une façon qui signifie qu'il n'y aura rien d'autre, cette nuit, que de la tendresse. Il en soupire de plaisir et de désespoir, et finit par s'endormir dans ses bras.

Elle était plus jolie que jamais, sauf le cœur, et le matin, elle n'était plus là. Je ne l'ai plus revue avant un certain soir, devant La Coupole.

Julia et Elisa ont quitté leur appartement de la rue Monge pour un loft, du côté de la Bastille. Un vaste chantier. Des meubles achetés aux puces, deux frigos bancals, beaucoup de livres et de disques, une machine à écrire, un piano à queue, un gros tas de bois à côté de la cheminée.

C'était ma résidence secondaire : une pièce sans fenêtre, un matelas par terre et une caisse en bois en guise de table de chevet.

De l'autre côté du palier, s'était installé le « Laboratoire de psychanalyse », immense local dans lequel Yves avait construit les boxes où les psychanalystes recevaient leurs patients. C'était une entreprise expérimentale, les séances étaient à cinq francs. Il y avait des débats sur le transfert presque tous les soirs, ça ramenait des gens de tous âges

141

et de tous horizons, fous et garde-fous se roulant des joints, des pelles, en picolant sec. J'assistais à ces bavardes agapes jusque tard dans la nuit, en espérant que Frédérique, la petite amie d'Yves, qui avait vingt ans et qui était d'une beauté polaire, viendrait poser sa tête sur ma jambe pour s'endormir comme cela s'était produit une fois. J'étais amoureux d'elle.

Trente ans plus tard, je reviendrais dans ce lieu qui, après avoir été le siège du Mouvement de libération de la femme, était occupé par l'équipe d'une revue d'art pour laquelle je devais écrire un article. Ils avaient supprimé les boxes, les divans, mais il régnait la même atmosphère de complot intellectuel, et personne pour faire le ménage.

Au Labo, tout le monde faisait des travaux, à commencer par Richard que je n'aimais pas du tout. Il avait d'abord été le patient de ma mère avant de devenir son amant. Je ne comprenais pas ce qu'elle lui trouvait parce qu'il était vraiment vilain, physiquement, surtout par rapport à Fernand.

Il racontait qu'il avait couché avec Aragon quand il était jeune. Je ne le croyais pas, je ne croyais pas un mot de ce qu'il disait. Ma sœur voulait le tuer, elle se battait sans cesse avec lui, et chaque fois qu'elle lui donnait des coups de poing, il se couchait par terre, hystériquement, en poussant des cris de cochon à l'abattoir, c'était horrible. En plus, il nous méprisait, nous les intellos, nous les révolutionnaires, il ne comprenait rien à la politique. Ma mère et lui passaient leurs journées au lit, à baiser. Elle disait qu'elle n'avait jamais aussi bien fait l'amour de sa vie. Je crois qu'elle était fière d'avoir un amant ouvrier, le seul vrai prolo de la bande, le seul à savoir couler une dalle de béton, soi-disant. En fait pas du tout, il n'y connaissait rien, sa dalle a fini par traverser le plancher de la salle de bains.

Chacun y allait de son incompétence en matière de ponçage de parquet, de carrelage, d'installation électrique et d'abattage de cloisons. Ils adoraient abattre des cloisons.

Devenue le poulbot du quartier, Élisa s'était acoquinée avec la fille d'Alain, aussi rousse que son père, qui devait avoir cinq ou six ans et qui la suivait comme un petit chien. Je me souviens de notre rencontre :

— Tu t'appelles comment ?

— Savine.

— Sabine ?

— Savine ! Avec un v, comme va te faire foutre.

Elles apprenaient ensemble à parler mal aux grandes personnes. Moi compris. Devant leur façon d'emmerder la terre entière, je me sentais déjà un peu dépassé.

A la sortie du lycée, Christophe discute avec les vendeurs de *Rouge*, l'hebdomadaire de la Ligue communiste.

Il se retrouve parmi une dizaine d'élèves du lycée réunis dans une salle de classe. Ils sont tous plus âgés que lui, mais il donne le change, se mêlant au débat.

Il s'agissait de « mettre au point une stratégie de lutte ». Personne n'y comprenait rien, pas même ceux qui prononçaient ces phrases creuses et musicales, que nous remplissions de fureur, et de promesses incendiaires. J'étais surpris moi-même de la facilité avec laquelle j'apprenais ces phrases et les récitais avec la bonne intonation.

A la fin de la réunion, un des militants proposait des brochures de la Ligue, les *Cahiers rouges* de la série « Marx ou crève »,

145

ça traitait des problèmes théoriques de la révolution et de la meilleure manière de la mettre en route. Tout mon argent de poche y passait. Je prenais grand soin de ces objets, qui n'étaient pas vraiment des livres, à peine des discours, plutôt des slogans, des armes, avec en couverture une magnifique faucille dressée vers le ciel, enchâssée dans un marteau des plus massif et frappant, *Marxisme et petite bourgeoisie*, en lettres noires sur fond rouge, dans un graphisme super moderne, c'était magique. J'avais presque toute la collection, je me promettais de les lire un jour, quand je serais suffisamment avancé politiquement pour comprendre. En attendant, je les bichonnais, et j'allais vendre *Rouge* à la sortie du magasin Gibert-Jeune du boulevard Saint-Denis.

— Demandez, lisez *Rouge*, l'organe de la Ligue communiste révolutionnaire !

Mon âge produisait un certain étonnement chez les passants, j'en avais conscience, j'étais un défi, une provocation, une tentation.

Christophe a invité Léo, son copain d'Angleterre. Léo débarque avec sa copine. Léo découvre les brochures de la Ligue communiste. Il les feuillette.

— Tu lis ces conneries ?

— Oui.

— Ben dis donc, c'est calé.

— Non, ça va.

— Tu te branles bien avec ça ?

— Connard. Si tu t'intéresses pas à la politique, la politique s'intéressera à toi, mais ça sera trop tard.

— Super. Et sinon, t'as une copine ?

Christophe rougit, Léo se marre et embrasse ostensiblement la sienne.

J'ai attendu qu'ils s'en aillent, en espérant qu'ils ne reviennent jamais. C'était juste un connard, pas un militant révolutionnaire.

— Tu es angoissé, minet chéri ? Qu'est-ce qui ne va pas ?

— Je ne sais pas.

— Tu t'ennuies ?

— Mhmm...

— Qu'est-ce que tu voudrais faire ?

— Je sais pas.

— Mais encore ? Au lycée, ça ne va pas ?

— Bof.

— Tu es inhibé.

— Hein ?

— Inhibé. Tu es angoissé parce que tu es inhibé.

Si je pouvais peindre la fresque de mes sentiments envers ma mère, il y aurait cette première période insouciante d'amour absolu, jusqu'à son départ, cet abandon qui avait mis notre amour en lambeaux, mais ce soir-là, grâce au mot qu'elle venait de m'apprendre, son diagnostic valant remède, l'angoisse est partie.

Je me suis levé, j'ai ramassé mes affaires.

— Qu'est-ce que tu fais ?

— Je me casse. Tu me fais chier.

— Ah bon.

L'expression de ma reconnaissance : un acte impossible, une parole indicible.

Il y avait alors un mouvement de grève dans les lycées parisiens, le énième, et je n'en ratais aucun. Mais celui-là allait me servir de prétexte. Car la révolution mène à tout, avais-je entendu ou lu quelque part, à condition d'en sortir. Ce qui valait aussi pour la famille, les études, la masturbation, tout devait me mener quelque part à condition que j'en sorte.

Christophe gravit les marches de l'escalier interminable de la station Abbesses, qui donne sur la butte Montmartre. Equipé d'un plan de Paris, il a inscrit sur un bout de papier l'adresse où il doit se rendre. Site historique aux noms évocateurs, rue Saint-Vincent, rue de l'Abreuvoir. C'est là, juste après la rue de l'Abreuvoir : il sonne à la porte. Bernard lui ouvre.

Bernard était sculpteur, il avait rencontré ma mère à Vimoutiers, dans le centre pour enfants inadaptés où ma mère donnait des consultations ; elle leur faisait passer des tests en écoutant leur histoire, toujours dramatique, beaucoup plus que la mienne. De son côté, Bernard réalisait pour les enfants des sculptures géantes en plâtre, des espèces de grottes dans lesquelles ils entraient et jouaient. Un genre de réinsertion par l'art.

Bernard avait deux enfants : Lucrèce, qui avait deux ans de plus que moi, et Hector, qui avait mon âge. Ils venaient parfois à Vimoutiers avec leur père, et c'est comme ça qu'un soir nous sommes partis escalader le grand cèdre planté au milieu du parc. Arrivé à une certaine hauteur, j'ai été pris de vertige, je me suis accroché, mais je n'étais pas très sportif, et au bout d'un moment les forces m'ont manqué, j'ai lâché prise, dégringolant jusqu'en bas après avoir rebondi d'une branche à l'autre. Lucrèce et Hector ont cru que j'étais mort. En fait, je n'avais presque rien, quelques côtes endommagées et une entorse au poignet, je n'en garderais aucune trace, sinon que Lucrèce avait été très douce, très efficace.

On ne s'était pas embrassés, mais en repensant à elle, deux ou trois ans plus tard, c'était vraiment le genre de jolie fille qu'il me fallait.

Son père n'a pas été surpris de me voir. Avec son sourire en coin, il avait très bien compris ce que je venais faire ici.

— Entre. Ta maman va bien ?

— Julia ? Mhm... Ça va.

Je ne fais pas la liste des amants de ma mère, je parle seulement de ceux qui ont compté pour moi.

— La chambre de Lucrèce est au deuxième étage.

C'était une maison incroyable, une de plus, celle-ci pleine d'étages, de jardins, avec une vue sur tout Paris depuis la terrasse. Enviable aussi pour la place réservée aux enfants : Lucrèce avait sa chambre, et Hector son studio de musique où il jouait de la guitare électrique. Il était justement en train de jouer.

Est-ce le triste sort des révolutionnaires que d'être perpétuellement soumis aux démons de la jalousie ?

Le lycée de Lucrèce était en grève. J'étais venu pour parler de ça parce que nous étions en grève nous aussi, et en tant que délégué autoproclamé du comité d'action lycéen, chargé de la coordination, je voulais savoir s'il m'était possible de tomber amoureux d'elle. Ça l'était. Mais les *Cahiers rouges* de la série « Marx ou crève » n'expliquaient pas comment s'y prendre. On a parlé de nos revendications légitimes au niveau de je ne sais plus quoi vu que mon objectif était la mort de l'école et la dictature des jeunes. Elle n'était pas sur cette ligne, mais bon, j'étais prêt à faire des concessions.

Plus je la regardais, plus je la trouvais belle, grande, fine, subtile, riche, chanceuse, le soupçon d'inceste ne me dérangeait pas, mais j'étais intimidé. Est-ce que je l'aimais trop ?

Elle était en seconde, et super bonne élève en tout, c'était donc à elle de prendre les initiatives, en commençant par m'embrasser sur la bouche, le reste suivrait.

Elle s'est levée : il y avait une AG au lycée qu'elle ne voulait pas rater.

J'entendais Hector jouer de la guitare électrique, ça me faisait envie. Envie d'être Hector, d'être avec Hector. Envie, désir, je n'en pouvais plus : la guitare ou la manif. Hector ou Lucrèce.

Je suis resté jouer de la guitare électrique

et tâter de la pédale ouah-ouah. C'était fort. Je suis encore tombé amoureux. Mais je suis quand même allé retrouver Lucrèce devant le lycée Jules-Ferry en grève.

Elle m'a présenté Hélène, sa meilleure amie. Hélène était aussi vilaine que Lucrèce était belle, aussi engageante à mon endroit que Lucrèce se montrait distante. Lucrèce ne pensait qu'à la grève, à la manif. Elle ne voyait que ça. C'est du moins ce qu'elle m'a expliqué, vingt ans après.

J'avais croisé Bernard à l'anniversaire de ma mère qui, pour ses cinquante ans, avait invité tous ses anciens amants. Une de ces drôles d'idées qu'on a à cinquante ans. Bref, j'ai demandé à Bernard le numéro de téléphone de sa fille. Il me l'avait donné, avec le même sourire que vingt ans plus tôt, en m'accueillant dans sa maison de Montmartre. J'ai appelé Lucrèce, on s'est revus, c'est là qu'elle m'a raconté qu'à l'époque elle ne s'était rendu compte de rien.

— Et là, tu t'en rends compte ?

— Oui.

On s'est mis ensemble, une de ces drôles d'idées qu'on a à trente-trois ans, et qui font long feu. Mais revenons en 1970. En ce climat de mobilisation lycéenne.

153

N'arrivant à rien avec Lucrèce, je me suis rabattu sur Hélène. J'ai essayé de toutes mes forces de tomber amoureux d'elle. J'avais vraiment envie de baiser, et cette fois pour de bon, c'était un devoir, une obsession. Le problème, c'est qu'Hélène était aussi décourageante que Lucrèce indifférente. Avec l'une et l'autre j'étais paralysé, inhibé, on en revenait toujours à ça.

Hélène faisait du théâtre pour se libérer, physiquement et psychologiquement. Parce qu'elle était coincée à tous les niveaux, elle en avait conscience.

Les cours de théâtre se tenaient dans le grenier du conservatoire municipal du 19ᵉ, avenue de Laumière.

J'ai tout de suite compris qu'il n'y avait pas de meilleur endroit pour rencontrer des filles.

Lætitia était jolie, elle cherchait un garçon pour lui donner la réplique dans l'acte IV de la scène 3 d'*Andromaque*.

— « Je veux savoir, Seigneur, si vous m'aimez. »

— « Si je vous aime ? ô Dieux ! »

Je me suis senti incroyablement bien en Oreste, plus exactement je ne me sentais plus, j'oubliais ce que j'étais, il n'y avait plus de moi, plus de surmoi. J'étais ce type désinhibé qui allait foutre le feu à la Grèce entière.

Marceline, notre professeur, ne pouvait s'empêcher de monter sur la scène pour nous diriger. Je savais que j'étais bon, je le voyais sur le visage des autres élèves, c'était plus facile que la guitare et beaucoup plus immédiatement efficace. Donc, je voulais faire du théâtre, rien que du théâtre, du théâtre tout le temps.

Lætitia était ronde, douce, elle ne voulait pas coucher tout de suite mais je n'étais plus pressé, en fait, j'étais sûr de mon coup :

— « Vous, la place d'Hélène, et moi, d'Agamemnon. »

J'ai même décidé d'arrêter de me branler pour être encore plus amoureux. Mais je ne sais pas combien d'heures j'ai tenu.

— « Citoyens, si le peuple romain, après six cents ans de vertu et de haine contre les rois…

Coiffé d'une perruque révolutionnaire, je répétais devant ma mère le discours de Saint-Just que j'avais choisi de présenter à mon audition de fin d'année du Conservatoire municipal.

— … si la Grande-Bretagne, après Cromwell mort, vit renaître les rois, malgré son énergie, que ne doivent pas craindre parmi nous les bons citoyens amis de la liberté, en voyant la hache trembler dans nos mains… »

Avec ses métaphores enchanteresses, le théâtre constituait à mes yeux la répétition générale des belles tueries à venir. Entre le credo et le crime, l'heure du passage à l'acte approchait, et du coup, je n'avais plus beaucoup de temps à consacrer à mes études de plus en plus secondaires.

Sur mon dernier bulletin scolaire, dans la petite case qui lui était réservée, mon professeur de français avait écrit : « On l'aperçoit de temps en temps... dans la cour. »

A la suite de quoi, mon père m'avait invité à déjeuner au chinois pour une grande mise au point.

Je n'étais pas très à l'aise avec les baguettes.

— Bon, j'attends tes explications.

— En fait, je crois que je ne suis pas très scolaire.

— C'est quoi cette connerie encore ?

— J'apprends rien au lycée, je m'ennuie, les profs sont cons, les élèves sont cons...

— T'as qu'à bosser au lieu de glander, tu pourrais sauter une classe.

— Je veux faire du théâtre.

— T'en fais déjà, du théâtre, ça va. Et puis arrête avec ces baguettes, si tu sais pas faire, prends ta fourchette.

— Je préfère quitter le lycée maintenant pour préparer le Conservatoire.

— Tu auras toujours besoin de ton bac.

— Non, justement, y a pas besoin du bac pour entrer au Conservatoire. Et si ça marche pas, je passerai le bac plus tard, en candidat libre.

— C'est ta mère qui t'a foutu ça dans le
crâne ?

— Non.

— Prends-moi pour un con, Christophe.

Je l'exaspérais. Il m'a arraché les baguettes
des mains et les a cassées en deux.

— Je te préviens, mec, si tu arrêtes tes
études, tu fous le camp de Lancry.

— J'irai où ?

— Ben, tu te démerdes, mon pote. J'imagine que t'iras chez ta mère, puisque c'est ça
que tu cherches, en fait. Mais je te conseille
de bien réfléchir : ça sera définitif.

— Est-ce que je dois continuer d'aller au lycée ou est-ce que je dois aller vivre ma vie au théâtre, et quitter mon père ?

Je suis allé poser la question à Lucienne et Lou. En réalité ma décision était prise, je voulais seulement les prévenir, avoir leur assentiment, et savourer ces mots avec eux : quitter mon père.

Julia pose un grand plat de spaghettis à la tomate.

Ils se demandent comment agir, comment répliquer à cette nouvelle agression du pouvoir : un jeune militant d'extrême gauche, Richard Deshayes, a été victime d'un tir de grenade lacrymogène en plein visage ; il est défiguré et risque de perdre la vue. La photo de son visage ensanglanté est diffusée partout, notamment par la revue *Tout !* qui échoit entre les mains de Christophe.

Le slogan de cette revue me plaisait : « Ce que nous voulons : tout ».

Il y avait le mouvement de libération des femmes, le mouvement de libération des homosexuels, le mouvement de libération des Bretons, il me semblait naturel de faire partie du mouvement de libération des jeunes,

161

mais à quatorze ans, les « camarades » considéraient que je n'étais pas encore assez jeune, c'est-à-dire pas assez vieux pour faire partie des jeunes de leur niveau.

Christophe va dans sa chambre avec la revue, se déshabille et se couche. Dans la revue, il y a une photo du jeune Richard Deshayes défiguré, et un texte de lui, écrit avant l'événement : « Faire l'amour est de loin une des choses les plus agréables que nous connaissions, plus on baise, mieux on se porte, et mieux on baise, mieux on se supporte. Personne n'a plus rien à nous interdire et sur ce plan encore moins que pour le reste si on considère le naufrage sexuel de nos parents. ON NOUS BRIME LE SEXE ! Mais ça ne va pas durer – BAISONS ! est donc, aussi un bon mot d'ordre – y a beaucoup de choses à dire là-dessus. » (Texte interrompu par une grenade, indique la rédaction du journal).

La photo de Richard Deshayes collée sur son visage, Christophe se caresse.

Christophe roule sur son Solex dans les rues de Paris, la nuit. Il se gare rue du Cardinal-Lemoine, entre dans un immeuble, monte cinq étages à pied, entre dans un appartement où une dizaine de jeunes gens fument, boivent, causent, écoutent les Pink Floyd.

Je faisais toujours sensation en arrivant dans ces soirées. Parce que j'étais le plus jeune, parce que j'étais beau, pour quelle autre raison ?

Didier regarde Christophe avec concupiscence et ostensiblement, ce qui amuse la compagnie.
Didier se lève, il est passablement ivre, il se plante devant Christophe qui finit de confectionner un joint.
— Tu es le fils de Julia ?

— Je suis le fils de personne.

— OK ! Tu fais quoi dans la vie ?

— Je vis.

— Magnifique ! Il me plaît beaucoup, ce garçon.

— Laisse-le tranquille, Didier.

— Tranquille ? Tu as envie d'être tranquille ? Je t'embête ?

— Non.

— Alors, tu vois, connasse ? Tu t'écrases, maintenant... Elle est jalouse. J'aime beaucoup ta mère, tu sais.

— Ah bon. Vous la connaissez ?

— C'est ma psy. Mais bon, je ne sais pas si je vais y retourner...

— Parce que ?

— Viens avec moi, je vais t'expliquer.

— Où ça ?

Didier prend Christophe par la main pour l'entraîner dans une des chambres de l'appartement. Il s'écroule sur le lit, et y invite Christophe.

Christophe s'assied, un peu méfiant.

Didier se met à le caresser.

— N'aie pas peur.

— J'ai pas peur.

Didier essaie d'embrasser Christophe qui se

laisse d'abord faire, mais se détourne quand Didier veut lui baiser les lèvres. Didier en conçoit une certaine déception :

— Alors quoi ? Qu'est-ce qu'il y a ?

— Rien.

— Ben, embrasse-moi...

— J'ai pas envie.

— Mais si ! Regarde. Tu bandes.

Didier tente de prendre Christophe dans ses bras, mais celui-ci le repousse. Une sorte de lutte s'engage. Brève.

J'étais surtout dégoûté par les vapeurs d'alcool qui sortaient de sa bouche.

— Arrête !

Didier est pris d'un rire nerveux :

— T'es coincé, alors !

Didier s'effondre sur le lit, et ne tarde pas à s'endormir.

Christophe sort de la chambre. Il est accueilli dans le salon par des rires, des grosses blagues.

Marco feint de prendre sa défense, avec son accent argentin :

— Christophe, c'est pas oune salope !...

On rit. On commente. Marco ajoute de

165

la cocaïne au joint qu'il prépare avant de le passer à Christophe, qui fume, et très vite commence à partir, à sourire niaisement, puis à pâlir.

Il va passer le reste de la soirée, prostré dans un coin, à demi conscient.

Deux heures plus tard, sur le trottoir de la rue du Cardinal-Lemoine, devant son Solex, Christophe vomit tout ce qu'il a dans le ventre.

Marco et Vanessa le soutiennent. Vanessa lui essuie la bouche.

— Christophe, c'est pas oune drogué !

— C'est quoi cette merde que vous m'avez fait fumer ?

Christophe reprend son Solex et roule dans la nuit jusqu'à la rue de la Roquette. Il entre passage du Cheval-Blanc, cale son Solex, monte chez sa mère, traverse l'appartement endormi : des cendriers pleins, des bouteilles vides, des piles de journaux, des tracts en fabrication.

Julia l'appelle depuis son lit perché dans la mezzanine :

— C'est toi, minet chéri ?

— Ouais.

— Quelle heure il est ?

— Trois heures et demie.

— Elisa est là ?

— Je sais pas.

Pour gagner sa chambre, Christophe doit traverser celle d'Elisa. En soulevant un drap, il découvre sa petite sœur dans les bras de Savine comme va te faire foutre.

— Elles sont là.

Arrivé dans sa chambre, il s'effondre sur son lit, épuisé, malade.

Diane circulait complètement nue dans son appartement aux volets clos et aux murs peints en noir. Il y avait un peu partout des vasques remplies de bonbons, d'autres avec des cigarettes, des briquets jetables. Une autre avec des préservatifs.

Elle avait remplacé les lampadaires par des lampes de studio montées sur pied, avec réflecteurs et parapluies.

Il y avait toutes les revues que j'aimais : *Hara-Kiri, Mad, Pilote, L'Enragé, Actuel...* *Hara-Kiri hebdo.*

Diane avait fait une cure de sommeil de plusieurs semaines pour maigrir de trente kilos. J'ai observé le corps décharné de Diane allongé au milieu de son lit aux draps noirs. C'était pas terrible.

Elle gagnait plein de fric avec la pub. Mais Rodolphe, le type avec qui elle avait monté ce studio photo, l'avait quittée pour se mettre avec Michèle qui venait de se séparer de mon père.

Diane a voulu que je vienne la rejoindre dans son lit.

— Je suis amoureux d'une fille, au Conservatoire.

— Et alors ? C'est pas grave, ça.

Diane avait été comme ma nounou, ma baby-sitter, elle m'avait photographié pendant mon sommeil, je l'aimais beaucoup, mais baiser avec elle ne me disait rien du tout. Pas seulement à cause de son corps qui était devenu très maigre. Elle s'était fait limer les dents après avoir vu le film *Nosferatu* qu'elle avait adoré. Ça m'avait fait marrer, mais je ne me sentais pas de l'embrasser sur la bouche.

On a parlé de mon père ; comment il m'avait viré de chez lui, elle n'en revenait pas.

— Je vais lui parler, c'est pas normal.

— Laisse tomber. C'est une crapule stalinienne.

— Ne dis pas ça. Il t'aime beaucoup, tu sais...

— Je vais te dire, camarade : ce sont les faits qui comptent. Il m'a viré parce que je ne voulais plus aller au lycée. Donc, pour lui, ce qui compte, c'est que j'aille au lycée. Je ne suis qu'une machine à aller au lycée, à avoir des bonnes notes et à passer le bac. Quand je suis rentré de Tunisie, après six mois de fugue, après avoir menacé Lucienne de me faire rapatrier par l'armée et de les faire foutre en taule pour rapt, sa première phrase, à l'aéroport : « J'ai vu tes notes : c'est bien ! » Je l'oublierai jamais, ça. Même pas bonjour, rien : « J'ai vu tes notes : c'est bien ! »

— Il est maladroit. J'étais très amoureuse de lui, tu sais ? De toi, aussi, d'ailleurs. De vous deux.

— C'est marrant.

— Ça t'étonne ?

— Je ne sais pas.

— C'est la vérité. Tu ne veux vraiment pas venir te coucher ?

— On a une répète à 10 heures...

— Une répète de quoi ?

— Une pièce qu'on a montée nous-mêmes, avec des masques.

— C'est quoi ?

— C'est un peu comme du Brecht. Tu connais ?

— C'est très chiant.

— Pas du tout, c'est génial ! Il a révolutionné le théâtre bourgeois. Mais nous, on fait un travail à base d'impro, je ne sais pas si tu vois ce que c'est. Chacun écrit son rôle.

— C'est quoi ton rôle ?

— Un patron fasciste. Je suis en train d'écrire la dernière tirade...

— Tu me feras lire ?

— C'est mieux si tu viens me voir jouer. Tu viendras ?

— Si je ne suis pas morte...

— Pourquoi tu serais morte ?

— Je pourrais me suicider... T'en fais pas, j'irai te voir jouer avant. C'est où, votre machin ?

— A Laumière. Mais comme c'est un truc pour dénoncer les violences patronales, on ira devant les usines.

— Tu ne veux plus retourner au lycée, alors ?

— Qu'est-ce que tu dis ?

— Retourner au lycée.

— C'est quoi, ça ?

— Je t'adore.

— Par contre, je voudrais te demander un truc.

— Dis toujours.

171

— Jean-Claude ne veut plus que je prenne mon Solex…

— Pourquoi ça ?

— Parce que c'est un connard. Il ne veut plus payer l'assurance… Est-ce que tu peux me prêter ta Mob ?

Elle m'a regardé comme si elle ne me reconnaissait plus, ou comme si c'était elle qui avait vieilli.

— Prends les clés dans l'entrée. Les papiers sont dans le tiroir. Mais tu me la ramènes !

Je l'ai embrassée, en guise de remerciement. Elle a tenté un instant de me retenir, sans conviction. Je l'ai laissée là, nue et maigre dans ses draps noirs.

Au milieu de la forêt de Fontainebleau, dans la brume du petit matin, la séance de photo commence. Rodolphe mitraille Christophe qui, entièrement nu, fait semblant de courir entre les fougères, fait semblant de rêvasser, adossé à un arbre, fait semblant d'attendre quelque chose, ou quelqu'un, couché sur les rochers moussus.

Avec les premiers rayons du soleil, les poses se font plus suggestives, et dans la plus joyeuse complicité entre le photographe et son modèle.

Rodolphe aurait pu me demander n'importe quoi.

D'après ce que j'avais compris, il s'agissait de présenter un dossier pour obtenir un marché auprès d'un gros client. Diane et Rodolphe avaient appris que le gros client appréciait ce genre de photos. Ils allaient donc en glisser dans leur dossier, histoire de montrer qu'ils pouvaient faire ça, aussi, au besoin.

En attendant de savoir s'ils avaient emporté le marché, j'imaginais le gros client en train de regarder ces photos, ça me plaisait beaucoup, comme de piquer du fric à un capitaliste.

Ce n'était pas la première fois que je gagnais de l'argent en faisant des photos avec Rodolphe, j'avais posé pour des fringues d'enfant, et même pour des biscottes ; je progressais dans le métier.

J'ai débarqué chez ma mère avec les photos. Elles ont fait l'admiration des uns, indigné ou excité les autres, bref, tous en ont bien profité, à commencer par Monica, une compatriote de Marco, exilée politique, elle aussi, vingt ans, mes photos la gustaban mucho.

Je l'ai prise par la main et je l'ai entraînée au Labo. Je n'en pouvais plus, il fallait que je baise, que je baise, que je le fasse, que je sache à quoi ça ressemble, ne serait-ce que pour pouvoir dire que c'était fait.

On est entrés dans le box de ma mère, on s'est embrassés et on s'est allongés sur le divan.

Le fait que ma mère recevait ses clients là-dessus, c'était encore plus héroïque.

J'ai fait semblant de savoir m'y prendre et du coup, j'avais l'impression de savoir m'y prendre. J'ai admiré ma témérité.

Même si je n'y avais pris qu'un plaisir sol-
datesque, c'était fait, je n'étais plus puceau, je
pouvais rayer ce sale mot de mon existence.
Sauf qu'après vérification, j'ai constaté qu'il
n'y avait pas de sang : le frein n'était pas
rompu.

Elle m'a peut-être pris pour un gros bai-
seur, en tout cas on a remis ça, plus fort et
plus longuement afin d'assurer l'opération.

Au plaisir supérieur que j'en ai ressenti,
j'ai compris que la première tentative n'avait
pas été la bonne. Là, plus de doute, j'avais
réussi, j'en aurais crié de reconnaissance.

Je me suis retiré, et j'ai vérifié le résultat.
Il n'y avait toujours pas de sang, toujours
pas de rupture de frein, j'étais toujours
puceau.

La troisième fois fut pénible, l'orgueil ayant
laissé place à l'anxiété. Incompréhension,
épuisement et rage. Ça tournait au cauche-
mar. C'est alors que Monica, qu'elle soit bé-
nie entre toutes les femmes, a compris que
je poursuivais un but qui n'avait plus rien à
voir avec le projet de départ.

J'avais fait espagnol en seconde langue et
j'ai réussi à lui expliquer ce qui se passait :

— ¡ Que barbaridad !

Celui qui m'avait raconté cette connerie, l'avait-il fait par fanfaronnade, ou pour me jouer un vilain tour ? En tout cas, ça ne m'a pas fait rire.

Monica louait une chambre de bonne, rue des Fossés-Saint-Jacques.

En attendant de savoir ce qu'elle allait faire de sa vie à Paris où elle avait trouvé refuge, elle s'était inscrite à la fac de Lettres, et pour subvenir à ses besoins, elle peignait des santons. Elle devait y passer plus de cinq heures par jour ; je lui ai proposé de l'aide, en échange de quoi, les heures que je lui faisais gagner, je les passais avec elle, dans son lit.

Je ne posais pas la question de savoir ce qu'une Argentine de vingt ans, belle et aventurière, pouvait ressentir pour un garçon comme moi, imberbe, ignare, maigre, d'une hygiène douteuse, et sentimental comme un poussin.

Simplement, un jour, elle n'a plus répondu à mes coups de téléphone, et quand j'ai frappé à sa porte après avoir grimpé les six étages à pied avec mes croissants, elle ne m'a pas ouvert.

Dans la grande salle du Théâtre de la Ville, se déroulent les auditions du Conservatoire de la ville de Paris. Le jury est composé d'une demi-douzaine de membres, le reste de la salle est vide, à part quelques sièges occupés par les professeurs venus soutenir leurs élèves.

Les concurrents défilent au rythme de la petite sonnette qu'agitent les jurés.

Christophe attend son tour dans les coulisses en compagnie de Franck, le garçon qui va lui donner la réplique. Franck est beaucoup plus anxieux que Christophe, qui embrasse Lætitia avec une mâle assurance, ce qui aggrave le trouble de Franck.

— « Monsieur Dogsborough, nasillarde-t-il en montant sur scène dans son costume d'Arturo Ui, vous voyez devant vous un homme méconnu. Son image noircie par l'envie, sa volonté défigurée par l'infamie. »

Christophe sort de scène, accueilli par Lætitia qui lui saute au cou, le félicite et lui chuchote quelque chose à l'oreille qui fait sourire Christophe de contentement.

Frédérique était étudiante en psycho. Les mêmes études qu'avait suivies ma mère. Elle était plus belle, et peut-être même beaucoup plus belle que ma mère, ce n'était donc pas un hasard si Yves l'avait choisie. Pas un hasard non plus si j'étais tombé amoureux d'elle.

Ce n'est pas que j'avais envie de coucher avec ma mère à travers cette fille à la beauté polaire, si j'avais voulu coucher avec ma mère, je l'aurais fait à Nice, le soir où elle m'y avait en quelque sorte invité. Et si je ne l'ai pas fait, c'est parce que je n'ai jamais désiré sexuellement ma mère, contrairement à ce que certains ont voulu me faire croire.

Pour ce qui est de tuer mon père, je ne dis pas.

Christophe passe la journée dans l'appartement de Frédérique, rue Traversière. Tandis qu'elle étudie au fond de son lit, il fait semblant de lire *La Formation de l'acteur* de Stanislavski, assis dans le fauteuil.

Christophe repose son livre, soupire, et va rejoindre Frédérique sur le lit, ils s'embrassent. Ils restent ainsi serrés l'un contre l'autre, mais sans rien faire de plus que vibrer d'un désir qu'elle ne veut pas assouvir. En tout cas pas tout de suite. Elle hésite. Ils se chuchotent des trucs à l'oreille. Il essaie de la convaincre.

Yves entre dans l'appartement. Christophe a juste le temps de s'asseoir sur le lit. Yves a compris ce qui se passait.

— Tu peux t'en aller, Christophe.

Christophe se lève, ramasse son livre et s'en va.

Pour ce qui est de tuer celui-là, ça ne fait aucun doute.

Je ne me souviens plus comment j'ai réussi à entraîner Raphael au Labo. Il s'est laissé caresser, toucher, déshabiller, sucer. Toutes les questions que je m'étais posées un an plus tôt, en Tunisie, c'était balayé. J'avais l'impression de le retrouver.

— Et maintenant, a-t-il dit soudain, qu'est-ce qu'on fait ?

Il y avait autant de défi que de désapprobation dans sa voix, est-ce qu'il s'ennuyait, est-ce qu'il attendait que j'aille plus loin ? Mais où ?

On s'est rhabillés. En parlant d'autre chose.

Le projet, après avoir joué notre spectacle à la sortie des usines, c'était d'aller au festival d'Avignon : on montrerait à ce monsieur Benedetto ce que c'était le vrai théâtre révolutionnaire.

On avait fabriqué des masques pour chacun des personnages de la pièce : les travailleurs immigrés, le délégué syndical, le député de droite, le gentil journaliste. Je tenais le rôle du vilain capitaliste.

A l'intérieur de ce masque, je n'avais plus d'âge, plus de corps, plus de complexes. Tout à coup, je savais danser, je parlais à voix haute et je n'étais pas ridicule :

— « Au travail ! Au travail ! Au travail ! Algériens ! Tunisiens ! Marocains ! Je vais sucer jusqu'à la dernière goutte de votre sang ! Et avec tout le fric que je vais faire sur votre dos, sur vos épaules, sur votre tête, je vais augmenter mon capital, augmenter mon capital, augmenter mon capital. Et quand vous serez tous crevés de fatigue, de maladie, tombés des grues, écrasés par les poutres de trois tonnes, quand vous serez trop vieux, bons à jeter, je prendrai vos enfants. Et je les mettrai au travail ! Au travail ! Au travail ! Ce travail qui les fera tous crever pour me remplir les poches, le ventre… et monter un capital énorme, énorme, énorme ! »

Christophe est dans sa chambre, devant la machine à écrire qu'il s'est appropriée et sur laquelle il a tapé le texte qu'il relit à voix basse. Il s'arrête, ça ne va pas. Il arrache la page et recommence à taper tout en parlant et mimant les gestes du « patron fasciste ».

C'est comme ça que j'ai commencé à écrire, avec cette méthode qui consistait à enfiler un masque pour chacun des personnages.

— C'est où, en Bretagne ?

— Tu ne peux pas venir...

— Pourquoi ?

— Mes parents ne voudront pas.

— On ne va pas se voir de tout l'été, alors ?

— Je ne sais pas.

— Tu n'as pas envie, en fait.

— Si !

— Alors quoi ?

— Mes parents ne sont pas comme les tiens.

— Et si tu venais dans le Midi avec moi ? J'ai gagné du fric avec mes photos. Trois cent mille balles ! On partira en stop jusqu'à Saint-Tropez, je connais des gens chez qui on pourra aller. Tu connais Saint-Tropez ?

— Non.

— C'est génial comme endroit. On pourra peut-être voir Brigitte Bardot.

— Tu l'aimes bien, celle-là ?

— Je déconne.

— Elle est tellement vulgaire.

— Oui, tu as raison. On se baladera, on sera ensemble tout le temps. On fera l'amour... D'accord ?

Lætitia frémit, sourit, se blottit contre son amoureux qui en profite pour l'embrasser sur la bouche, puis lui chuchoter à l'oreille :

— Y en a marre des parents. Faut se libérer des parents...

— Mais moi, je ne suis pas comme toi...

— Ou alors tu leur parles, tu leur demandes. Juste quinze jours... Dis oui...

Ils sont tous les deux assis sur les marches du grand escalier de l'école qui abrite la MJC, avenue de Laumière, Christophe a posé sur les marches son masque de « patron fasciste ». Les autres élèves passent, les chambrent, les deux amoureux ne s'en soucient pas.

Marceline arrive avec ses dossiers :

— Christophe, tu as fait sensation avec ton Arturo Ui !

— C'est une bonne nouvelle ?

— Oui : ils t'ont donné le deuxième prix d'interprétation moderne.

Lætitia saute au cou de son amoureux. Christophe est déçu :

— C'est Franck qui a le premier prix ?

— Penses-tu ! Il n'a rien eu. Il n'est pas fait pour ça. Tu te rends compte que tu vas pouvoir préparer le Conservatoire.

Est-ce que je voulais préparer le Conservatoire après tous les efforts que j'avais faits pour quitter le lycée ?

Je voulais d'abord partir dans le Midi avec Lætitia et baiser avec elle.

— Ils ont encore tiré sur un jeune !

« Ils », c'étaient les capitalistes, les bourgeois, les riches, les commerçants du CIDUNATI, et en l'occurrence un boulanger de Sceaux qui avait tiré sur Jean-Pierre G., dix-sept ans, parce qu'il faisait du bruit avec ses copains.

Alain avait débarqué avec *France-Soir*. On était révoltés. On se passait l'article avec la photo du garçon « entre la vie et la mort ».

Anne-Lise a fait remarquer que le boulanger s'appelle M. Jean Bon et que c'était un nom de charcutier.

— Un nom de salopard.

— Un connard qui a une carabine chez lui.

— Un ancien de l'OAS, probablement.

— On pourrait imprimer des tracts pour dénoncer ça.

— Y en a marre des tracts. Faut passer à l'action et c'est tout.

Ma mère se sentait particulièrement concernée du fait que le drame s'était déroulé à Sceaux, la ville de son enfance, où sa mère habitait encore. Elle connaissait bien la cité des Blagis où ça s'était passé. Elle a commencé à parler de guerre civile ; c'était peut-être l'étincelle qui allait mettre le feu aux poudres de cette société capitaliste qui nous oppressait.

On voulait tous en découdre, défendre les jeunes, se battre, c'était le mot qui revenait le plus souvent, se battre, et moi aussi je voulais me battre, mais réellement me battre. Contre qui ? Comment faire ?

Quelques mois plus tôt, les membres de la Fraction armée rouge allemande avaient sorti un tract annonçant le début de la guérilla urbaine. Ils avaient tout de suite acquis un grand prestige auprès des mouvances de l'extrême gauche parisienne, c'est-à-dire nous, qui rêvions de passer à l'action, nous aussi, et fonder une Fraction de l'Armée rouge à la française, tendance Pieds Nickelés.

Notre spectacle sur les travailleurs immigrés fut accueilli par un tonnerre d'applaudissements. Ma mère était dans la salle, ainsi
que tous les parents des acteurs de la troupe.

On était très fiers, mais personne n'avait
vraiment envie de présenter ça à la sortie
des usines.

J'ai joué au ping-pong en attendant Lætitia.

Une heure, une heure et demie, pas de
Lætitia. Ils sont partis les uns après les autres.
Je me suis retrouvé seul. Marceline a dû fermer les portes de la MJC. Elle m'a demandé
ce qui se passait.

— J'avais rendez-vous avec Lætitia.
— A quelle heure ?
— Ça fait deux heures.
— Elle ne viendra plus.
— On devait passer la soirée ensemble.
— Viens. On va boire un coup.

— Elle m'avait promis.

— Allez, viens.

— J'ai dit à tout le monde que j'étais amoureux, que j'allais partir avec elle cet été. Mais y a jamais rien qui marche avec moi...

— Ce n'est pas toi, le problème. C'est elle... tu es beaucoup plus en avance qu'elle sur plein de trucs.

— Donc c'est bien moi le problème. J'ai jamais l'âge qu'il faut avec personne.

— Tu ne seras pas toujours le plus jeune, t'en fais pas. Et pas toujours le plus doué non plus...

— Quand je suis sorti de scène, elle m'a dit : « T'étais génial ! »

— Tu l'étais.

— Et là, elle ne vient même pas. C'est comme si elle me disait : tu n'es qu'une merde, j'en ai rien à foutre de toi...

— Elle n'aimait pas le projet. Elle ne comprend rien à notre engagement, cette fille. Tu le sais. Mais c'est pas grave. Je te jure que tu en trouveras d'autres...

— Je ne veux pas en trouver d'autres.

Marceline a rigolé.

Le serveur est venu nous dire qu'il devait fermer.

— Je ne veux pas rentrer chez moi.

Marceline m'a emmené chez elle. On a continué à parler, à fumer et boire, et puis je me suis endormi sur le canapé, tout habillé.

A peu près au même moment, rue de la Roquette, ma mère a ouvert une carte routière de la banlieue sud. Elle l'a étalée sur la table de la cuisine et elle a tracé au stylo-bille le parcours le trajet pour se rendre aux Blagis, devant la boulangerie de M. Jean Bon.

Elle s'y croyait ; son père avait fait de la résistance, un vrai chef de guerre. Il avait été arrêté, torturé, déporté, tout ça faisait que ma mère rêvait d'entrer à son tour dans la Résistance. La Nouvelle Résistance qui lui aurait permis de rejoindre son papa.

Yves est allé emprunter la vieille Citroën de Dominique. Alain l'a rejoint et, un peu avant minuit, ils sont partis tous les deux en direction des Blagis. Ils étaient dans cet état de transe que l'acteur ressent quand il entre en scène avec son masque, dans la peau du personnage, comme on dit.

La mission du terroriste, comme des acteurs, c'est de rendre la fiction réelle, irréparable.

Arrivés devant la boulangerie, Alain a balancé son pavé dans la vitrine qui a éclaté sous le choc, et Yves a aussitôt lancé son cocktail Molotov enflammé à l'intérieur de la boutique.

Avant de remonter dans la Citroën, ils ont jeté un paquet de tracts sur le trottoir, et ils ont filé.

Trois cents mètres plus loin, la bagnole s'est arrêtée.

— Qu'est-ce qu'il y a ?

— On n'a plus d'essence.

— C'est pas vrai ! Comment c'est possible ?

Ils ont abandonné la voiture et comme il n'y avait plus de métro, ils sont retournés à pied rue de la Roquette.

La police découvre une vieille Citroën abandonnée non loin de l'attentat. A l'intérieur de la boîte à gants, ils ont la bonne surprise de tomber sur les papiers de la voiture. Sur l'assurance, il y a l'adresse du propriétaire, Dominique.

Les policiers débarquent chez Dominique. Ils lui demandent pourquoi sa voiture se trouvait sur les lieux de l'attentat. Au lieu de leur dire qu'on venait justement de la lui voler, il avoue qu'il l'a prêtée à Yves, et leur donne son adresse, rue de la Roquette, à deux pas du Labo.

La police arrive chez Yves, un appartement communautaire appelé « le grenier », et dans lequel Elisa et Savine ont élu domicile. Ce sont elles qui ouvrent aux policiers. Ils demandent à parler à Yves.

— Il n'est pas là.

— Tu sais où il est ?

— Il doit être rue Traversière, ou alors au Labo, chez ma mère.

— Elle habite où, ta maman ?

Elle donne l'adresse : passage du Cheval-Blanc.

Aussitôt les policiers repartis, Elisa se précipite avec Savine au bistrot le plus proche pour téléphoner au Labo. Elle doit laisser sonner très longtemps avant d'arriver à joindre Yves, en plein repos du guerrier.

— Les flics te cherchent, N'a-qu'un-œil !

C'est ainsi qu'elle l'appelle depuis toujours car c'est son préféré.

Yves enfile son pantalon, traverse l'appartement de Julia :

— Les flics !

Il parvient à s'enfuir par la cité Parchappe, rue du Faubourg-Saint-Antoine, juste avant que les policiers arrivent passage du Cheval-Blanc, par la rue de la Roquette.

Julia a réveillé Alain, à grand-peine. Ils ont fait la fête toute la nuit.

— Les flics ! Les flics arrivent !

Mais c'est trop tard : ils frappent déjà à la porte.

— Tu leur dis qu'on a passé la soirée chez ma mère, aux Blagis.

— Quoi ? Qu'est-ce qui se passe ?

— Les flics sont là, Alain ! Tu ne sais rien ! On a passé la soirée chez ma mère, à Sceaux. Et la voiture est tombée en panne là-bas. Chez ma mère ! Tu m'entends ?

Elle ouvre aux policiers qui demandent à parler à Yves.

— Je ne sais pas où il est, répond Julia.

En fouillant l'appartement, ils découvrent la carte routière avec le tracé au stylo-bille.

— C'est quoi ?

— Le parcours pour se rendre chez ma mère, aux Blagis.

— Vous nous prenez pour des imbéciles ?

Ils interrogent Alain, toujours pas très réveillé :

— Vous étiez où, cette nuit ?

— J'étais…

— Aux Blagis, Alain ! Tu te souviens bien. On était chez ma mère, chez ma mère qui habite aux Blagis.

— Oui, c'est ça.

Le policier n'est pas dupe :

— Allez, embarquez-moi tout ce petit monde.

Ils perquisitionnent jusque dans la chambre de Christophe qui n'est pas là. Ils découvrent à côté de la machine à écrire une version de la tirade du méchant patron. Ils ramassent cette précieuse pièce à conviction.

Christophe entre passage du Cheval-Blanc au moment où la police embarque sa mère et Alain. Elle lui adresse un regard ferme pour lui faire comprendre qu'il ne doit pas lui parler et continuer son chemin.

J'ai vu dans son regard combien elle était fière de se faire arrêter par ceux qu'elle appelait « ces messieurs de la police française ».

Christophe a retrouvé Marco dans un café de la rue de Buci, en face du magasin de fleurs tenu par Richard.

— Ils vont la garder jusqu'à quand ?

— L'avocat a dit trois jours. Il n'y a pas eu de blessé, heureusement.

— A Buenos Aires, elle aurait déjà été jugée et condamnée à dix ans pour oune truc comme ça.

Le premier article vient de paraître dans *France-Soir* :

Cocktail Molotov contre la vitrine
du boulanger de Sceaux-Blagis qui avait tiré
sur des jeunes trop bruyants.

Lors de la fusillade, un jeune garçon, Jean-Pierre G., 17 ans et demi, avait été grièvement blessé. Il se remet lentement de ses blessures.

On a dû l'opérer de la rate et lui faire un pneumothorax. Des manifestations avaient eu lieu aux Blagis. Malgré tout, les jeunes et les adultes avaient tenté de renouer le dialogue, de s'expliquer. L'attentat d'hier soir, qui n'a fait que des dégâts matériels, a surpris. Les esprits semblaient en effet apaisés.

« Nous désapprouvons complètement cet acte », nous ont déclaré des jeunes des Blagis qui se trouvaient cette nuit au Mini-club, une salle qui a été mise récemment à leur disposition pour se retrouver entre eux. « Il s'agit sans doute d'une provocation qui détruit tout notre travail de rapprochement. »

Ils fêtaient hier soir la libération de leur copain Jean-Louis, 17 ans, arrêté peu avant la fusillade des Blagis, pour rébellion à agents. Pour obtenir sa libération, six d'entre eux avaient entrepris une grève de la faim dimanche soir. Jean-Louis C. est sorti de prison hier soir vers 20 heures.

Quelques heures plus tard, à minuit exactement, la vitrine du boulanger située en plein centre commercial de Sceaux, était détruite.

On y a lancé, semble-t-il, des pavés et un cocktail Molotov qui s'est éteint de lui même.

Selon certains témoins, les auteurs de l'attentat sont venus à bord d'une vieille traction avant, immatriculée 92. La voiture aurait été retrouvée par les policiers.

Je ne savais plus où aller. Pas question de retourner au Labo que les flics surveillaient. S'ils tombaient sur moi, mineur en fugue, je risquais de me retrouver entre les mains de la DDASS, ou pire : de devoir retourner chez mon père.

Marco m'a donné l'adresse de Mercedes, une amie argentine qui avait un appartement boulevard Saint-Michel. Je pouvais dormir là pour quelques nuits, elle était au courant, il allait m'arranger ça. Les Argentins avaient l'habitude de la clandestinité après quelques années de dictature sous Perón.

Mercedes travaillait dans le cinéma comme monteuse. C'était une petite brune très jolie dont je suis très vite tombé amoureux tellement elle était douce, parfumée, sensuelle, maternelle aussi, elle avait un fils de douze ans. Elle n'a pas caché vouloir me mettre dans son lit. C'est là qu'elle m'a expliqué en quoi consistait le métier de monteuse. A l'entendre, c'est elle qui décidait de tout puisqu'elle coupait le film où elle voulait.

Je ne connaissais rien au cinéma, pratiquement rien. Des westerns, des dessins animés, des péplums, mais aussi des films pénibles où mon père m'avait traîné : *Antonio Das Mortes* de Glauber Rocha, *Andreï Roublev* de Tarkovski. Un jeudi après-midi, j'avais voulu revoir *La Soupe au canard*, avec les Marx Brothers, ça passait au Champollion, j'avais emmené Elisa. Je ne sais pas comment ça s'est fait mais je me suis trompé de salle, on s'est retrouvés devant *La Piscine,* de Jacques Deray, avec Delon et Romy Schneider. Au bout d'un quart d'heure, j'ai pensé qu'il valait mieux quitter la salle.

Je savais que le cinéma pouvait avoir des conséquences sur l'état mental des spectateurs fragiles. Je l'avais déjà expérimenté avec *Le Garçon aux cheveux verts*, de Joseph Losey, et un peu plus tard *Le Souffle au cœur,* de Louis Malle, deux films qui m'avaient rendu pratiquement malade.

Quand les affiches de *Mort à Venise* sont apparues sur les murs de Paris, le nom de Tadzio s'est mis à tourner autour de moi comme une nuée de moustiques : des moqueries et des allusions d'autant plus vexantes que, si je ne doutais pas de ma beauté, si j'avais tout à fait conscience de l'effet que produisaient ma jeunesse, mes cheveux bouclés, mes yeux bleus, ma petite bouche, mes manières, il n'était pas question de ressembler à cette poupée proprette et sophistiquée que Visconti avait choisie pour incarner le personnage de Thomas Mann. Plutôt crever que de devenir un objet de contemplation aussi charmant.

En tout cas, je m'étais juré de ne jamais aller voir ce film à la con.

Luchino Visconti avait parcouru l'Europe à la recherche d'un idéal de beauté susceptible d'incarner la « perfection de l'amour » dans ce qu'il pressentait être son dernier film. La mort comme prétexte, Venise comme tombeau, Mahler comme viatique. Au cours de son périple, de Moscou à Stockholm, de collèges en instituts, de patronages en salles de classe, Visconti était tombé sur Björn Andrésen, quatorze ans, et il a décidé d'en faire son Tadzio. Il a raconté par la suite qu'un de ses producteurs lui avait alors recommandé de remplacer Tadzio par une jeune fille.

Les producteurs...

— Tu ne voudrais pas faire du cinéma ? m'a demandé Mercedes en me passant la main dans les cheveux.

Elle venait d'être engagée comme monteuse sur un film énorme, ils cherchaient des figurants.

— Ben ouais, pourquoi pas ?

— C'est trois jours trois nuits. Cent mille balles.

— C'est pas terrible. J'ai touché trois fois plus pour une séance de photos qui m'a pris deux heures.

— Mais là, c'est le cinéma.

— Tu veux manger quelque chose ?

— Des frites, ouais. Avec du coca, j'ai précisé.

Ça se passait au restaurant du studio de cinéma d'Epinay-sur-Seine.

— Tu te sens capable de rester enfermé pendant trois jours et trois nuits ?

— Un happening ? Genre Living Theatre ?

— Tu as tout compris.

— Ça me va.

— Ça te va ?

— Oui, c'est d'accord, je veux bien le faire.

Tout Paris se battait pour participer à cette expérience, et moi je voulais « bien le faire ».

Jacques, le producteur, s'est tout de suite inquiété de la question de mon âge, à cause des autorisations parentales.

— On s'en fout, de ça, a dit le metteur en scène.

— Sauf que moi, je suis responsable. J'ai besoin de l'autorisation de tes parents.

— Ça va être difficile, j'ai dit. Ma mère est en taule et mon père au Parti communiste.

Il y avait une centaine de participants, des drogués, des musiciens, des lesbiennes, vraiment la crème de la marginalité parisienne. On bouffait, on fumait, on baisait, on imaginait des scènes, et quand on commençait à s'ennuyer on se balançait de la peinture sur le corps.

Au bout de 48 heures de tournage, le metteur en scène m'a introduit dans sa loge.

— C'est la loge des stars, il a dit.

— Celle de Brigitte Bardot ?

— Entre autres. Alain Delon. Brigitte Bardot. Et toi.

Dans ces conditions…

Ils l'appelaient Jean-Mi, ce que j'ai trouvé très nul. Je l'ai appelé Jim, et lui m'a appelé Chris. On était prêts pour Hollywood.

Un soir, en sortant de La Coupole en compagnie de quelques amis, j'ai découvert Lilas, assise sur le trottoir, vendant le produit de son artisanat : des bijoux en laiton, des bracelets en cuir.

Nos regards se sont croisés, elle m'a souri, j'étais sidéré, je lui ai répondu par un sourire gêné, et je me suis penché pour l'embrasser avant de rejoindre mon Jim jaloux :

— C'est qui, celle-là ?

— Une fille d'avant.

Quelques semaines après le tournage du film, mon Jim et moi nous sommes échappés de la salle de montage pour aller voir enfin *Mort à Venise*.

Je ne crois pas qu'un film m'ait déprimé autant, et avec autant de volupté. C'est en sortant de la salle, en marchant dans la rue, parce que c'était le mois d'août, Paris était désert, surtout dans ce quartier du haut des Champs-Elysées, ça devait être un dimanche après-midi, j'étais accablé par la chaleur, par la tristesse, prisonnier, et incapable de protester de mon innocence, de dire mon refus de vivre cette existence, mais c'est là que j'ai pris la décision de ne pas devenir acteur de cinéma.

J'ai longtemps cru que Björn Andrésen était mort, la légende urbaine le disait emporté par une leucémie avant d'avoir atteint la trentaine. Ça m'arrangeait d'y croire.

Jusqu'à ce que je découvre sur Internet qu'il était toujours vivant. Il a toujours mon âge, ou un an de plus, et sur un des sites qui lui sont consacrés, au-dessus du patchwork de photos prises à l'époque de *Mort à Venise*, se trouve comme en exergue une citation récente de l'homme Björn Andrésen : « J'aurais préféré bâtir ma vie plutôt que d'être posé sur ce piédestal. »

Il y a des films sur le festival de Cannes 1971, on y voit Visconti assis à la terrasse du Martinez en compagnie de son Tadzio, on reconnaît immédiatement la tragédie que représente la « perfection de l'amour » quand l'homme croit l'avoir atteinte, c'est un peu ridicule et tout de même assez beau.

Quelques mois après la sortie de *Mort à Venise*, en plein tournage de *Ludwig, le crépuscule des dieux*, Luchino Visconti est victime d'une attaque cérébrale. A moitié paralysé, il tourne *Violence et Passion*, et meurt le 17 mars 1976, en terminant le montage de son dernier film, *L'Innocent*.

Chez Stock/Hachette-jeunesse :
LE DÉCALOGUE.
Ouvrages en collaboration

Au Chêne :
LE PLUS BEAU CHEVAL DU MONDE (avec Yann Arthus-
    Bertrand).

À la Martinière :
LE FABULEUX (avec Vincent Godeau).

Chez Filigranes :
UN ÂGE DE PIERRE ET DE BÉTON (avec Rip Hopkins).

Aux Trois Crayons :
PASSION CHEVAL (avec Hubert de Watrigant).

Chez Mango Jeunesse :
LE LOUP QUI MANGEAIT N'IMPORTE QUOI (avec Manu
    Larcenet).

*Cet ouvrage a été imprimé
par CPI BRODARD ET TAUPIN
72200 La Flèche
en août 2016*

*Composition et mise en pages
Nord Compo à Villeneuve-d'Ascq*

**PAPIER À BASE DE
FIBRES CERTIFIÉES**

Grasset s'engage pour
l'environnement en réduisant
l'empreinte carbone de ses livres.
Celle de cet exemplaire est de :
650 g Éq. CO_2
Rendez-vous sur
www.grasset-durable.fr

N° d'édition : 19470 – N° d'impression : 3017979
Dépot légal : août 2016
Imprimé en France